SOPHIE VAN DER STAP

Sophie Van Der Stap est née en 1983 à Amsterdam. *La fille aux neuf perruques* (Presses de la Cité, 2009), son témoignage, est devenu un best-seller international. Son second livre, *Un papillon bleu fait ses adieux*, n'a pas encore été traduit en français. Elle travaille actuellement à son premier roman, dont l'intrigue se passe en France.

Retrouvez toute l'actualité de l'auteur sur :
www.sophievanderstap.nl

D0755194

LA FILLE AUX
NEUF PERRUQUES

SOPHIE VAN DER STAP

LA FILLE AUX NEUF PERRUQUES

TÉMOIGNAGE

Traduit du néerlandais
par Emmanuèle Sandron

PRESSES DE LA CITÉ

Titre original :
MEISJE MET NEGEN PRUIKEN

Le papier de cet ouvrage est composé de fibres naturelles, renouvelables, recyclables et fabriquées à partir de bois provenant de forêts plantées et cultivées durablement pour la fabrication du papier.

© Sophie van der Stap, 2006
© Presses de la Cité, un département de Place des Éditeurs, 2008
pour la traduction française
et 2009 pour la présente édition
ISBN 978-2-266-19871-4

Dans l'émission de télévision *De Wereld Draait Door* (« Tourne le monde »), qui nous était consacrée à lui et à moi, l'acteur Cees Geel, évoquant son rôle dans le film néerlandais *Simon*, a dit combien les choses étaient différentes quand on les vivait de l'intérieur. Pour quelqu'un d'extérieur, a-t-il dit, il est presque impossible de se mettre à la place de l'autre, en l'occurrence *à ma place*, et de vivre *dans ma peau*. Dans la peau d'une jeune femme atteinte d'un cancer, dans la peau de l'auteur d'un premier livre, dans la peau de Stella, Sue, Daisy, Blondie, Platine, Emma, Pam, Lydia et Bébé… Bref, dans la peau de Sophie. Vous qui ne me connaissez pas, j'espère que ce témoignage vous permettra de vivre un peu mon histoire *de l'intérieur, dans ma peau.*

« Quand tu partiras pour Ithaque,
souhaite que le chemin soit long,
riche en péripéties et en expériences. »

Constantin CAVAFY

PREMIÈRE PARTIE

Jeudi 17 février 2005

— Désolée, dis-je en voyant tomber une touffe de cheveux sur le parquet. C'est la cata, tout à coup.

La vendeuse regarde mon reflet dans le miroir. J'ai apporté des photos pour lui montrer mes coiffures préférées. Ce sont des photos d'il y a trois semaines. Martin les a prises quand je n'avais pas encore la boule à zéro. Je ressemble de moins en moins à la jeune fille qu'on voit sur ces clichés, maintenant que mes cellules capillaires ont déclaré forfait face à la chimio. Les photos sont étalées sur la table, entre une brochure de perruques et une moumoute blonde qui vient de surgir de nulle part.

— C'est ressemblant, qu'est-ce que vous en dites ?

Au secours ! Voilà ce que j'en dis ! Tous les postiches me donnent un air de travesti. La vendeuse me propose une longue tignasse brune. Une image s'impose aussitôt à moi : le guitariste de Guns N'Roses. Un désastre, je vous dis.

Le magasin de perruques se trouve dans l'entrée du CMU, le Centre médical universitaire. Il y a une

13

cabine d'essayage au premier étage. Vachement pratique pour les patients cancéreux, ils peuvent y aller juste après leur perf. À côté de moi, il y a ma mère, ma sœur et Annabel, ma meilleure amie. Silence et malaise général… jusqu'à ce qu'Annabel évacue la pression en s'enfonçant une perruque jusqu'aux yeux. Nous éclatons de rire.

Je regarde ma sœur. Elle est belle, avec ses cheveux noirs relevés en arrière. Comme moi, c'est sa coiffure préférée : les cheveux en arrière, légèrement bombés sur l'avant. Mes yeux vont et viennent de ses cheveux soyeux à ceux d'Annabel, noirs et épais, puis à ceux de ma mère, qu'elle porte courts, puis aux quelques malheureuses touffes qui me restent encore. Je revois tout ce qui s'est passé au cours de ces trois dernières semaines, et je ne comprends toujours pas ce que je fais ici. Ce que je fais *ici*.

Je veux m'en aller ! Je veux me cacher derrière les murs sécurisants de ma maison ! Je veux me mettre à l'abri de la maladie, des réactions des autres et des commentaires qui confirment ce que je voudrais oublier… Des voisins qui me regardent d'un air désolé… Des marchands de primeurs qui glissent un complément de vitamines dans mon panier à provisions… Des amis qui me serrent trop fort dans leurs bras… Des membres de ma famille qui éclatent en sanglots…

Les yeux humides, je regarde mon reflet dans le miroir et je laisse la vendeuse jouer avec mes nouveaux cheveux. Mes belles lèvres pulpeuses ont disparu : il n'en reste plus qu'un mince trait qui barre le bas de mon visage. Plus la vendeuse tripote la perruque, plus cette ligne se rétrécit et plus j'ai l'air désespérée. Ça ne me va pas du tout. Là, dans ce miroir, je ne me retrouve plus.

Je finis par quitter la cabine, une coiffure de bourge sur la tête. C'est moche et ça gratte. Oubliée, disparue, la Sophie !

La vendeuse prononce des paroles encourageantes. Nous sommes dans l'ascenseur, nous redescendons dans le magasin.

— Vous allez vous habituer… Il faut toujours un petit temps d'adaptation… N'hésitez pas à jouer avec elle ! Essayez, vous verrez ! Dans deux semaines, elle fera partie de vous !

C'est cela, oui. Elle fera partie de moi !… Une bourge coincée ? Une… une Stella ?

Je me tourne vers ma mère et je vois qu'elle aussi a les yeux humides.

La vendeuse travaille dans le postiche depuis vingt ans, nous dit-elle. Elle est une des seules à importer ces modèles si *fashion* de Chine et du Japon.

— C'est de là que viennent ces jolies perruques qui font si moderne. Exactement ce qu'il faut à une jeune fille comme vous !

Je jette un nouveau regard au miroir de l'ascenseur, à la recherche de quelque chose de tendance ou de jeune. Franchement, je ne vois rien. Juste une souris grise affublée d'une perruque.

C'est au cours du deuxième mois de mon errance dans les hôpitaux que je suis entrée dans le service du docteur K. Un jeudi du début du mois de janvier… C'était un jour comme les autres, car j'ignorais encore que je trimballais toute une armada de tumeurs au poumon. Correction : à la plèvre, c'est-à-dire à la membrane qui entoure le poumon. Après plusieurs visites à divers médecins et deux consultations aux urgences, j'avais juste rendez-vous dans un nouveau service. Avec un nouveau médecin, de nouvelles infirmières et un nouveau dossier.

Le docteur K était le énième toubib à m'examiner et il aurait des trémolos dans la voix quand il apprendrait la nature monstrueuse de ma maladie – mais, bon, j'anticipe.

Il est entré dans la salle d'attente, a ouvert mon dossier, a appelé une certaine Mlle Van der Stap, a scruté les visages et m'a attendue calmement. Une gamine, il a dû se dire. De mon côté, j'ai été séduite sur-le-champ : une belle gueule, une blouse blanche, évidemment, et quarante piges et des poussières. Je suis restée une semaine entière dans son service, mais pour moi, tout a été dit dès le premier regard.

Toute requinquée à sa vue, j'ai pénétré dans son cabinet. *Thanks God, it's a men's world.* L'hôpital : l'endroit par excellence où oublier le calme plat de ma vie sexuelle ! Un mec agréable à regarder, encore un… Ça ne m'étonnait pas le moins du monde, après tous les bellâtres qui l'avaient précédé. Depuis deux mois, j'arpentais assidûment les couloirs de l'hôpital Notre-Dame, de service en service, d'un étage à l'autre, de l'aile gauche à l'aile droite… Mais, après huit assistants, deux gynécologues, un pneumologue et trois cures d'antibiotiques, j'en étais toujours au même point.

Mes plaintes incohérentes de la première heure étaient toujours aussi… incohérentes : un élancement étrange à deux ou trois endroits, un poumon gorgé d'eau et la perte de plusieurs kilos. Et, surtout, un visage d'une extrême pâleur. J'ai raconté mon histoire pour la millième fois – manifestement, l'achat d'un ordinateur central semble tout à fait incongru dans ces lieux où des appareillages à la pointe des technologies font des miracles – en regardant attentivement mon nouveau toubib. Son badge indiquait « Docteur K, pneumologue ». Charmant, beau, mince… Dragueur ou casé ? Les deux à la fois, peut-être ? Je me suis promis de chercher ça sur Google. En général, la blouse blanche ne révèle pas grand-chose, mais les chaussures, c'est différent. Ah, des chaussures à crans, en cuir noir. Voilà qui n'était ni mauvais ni bon signe. J'ai décidé que c'était plutôt bon signe, étant donné son âge. Autour du cou, l'éternel stéthoscope.

Il m'a demandé de m'étendre sur sa table et de relever mon chemisier. Je portais un soutif noir. Il m'a dit de le garder. Il a posé le métal froid de son stéthoscope à plusieurs endroits de ma poitrine et dans mon dos. Je grelottais.

Il écoutait, je respirais.

Je respirais, il écoutait.

J'écoutais, il respirait.

— Il y a quelque chose de pas normal, dit-il.

Cela ne m'a pas inquiétée outre mesure. Plutôt soulagée, même, car je sentais bien qu'il y avait un problème. La fatigue, la respiration difficile, les joues blêmes, c'était nouveau, pour moi. Quelques médicaments pour me faire passer tout ça, voilà ce que je voulais !

Le toubib ne m'a pas laissée rentrer chez moi : il voulait que j'aille faire des radios au premier étage et puis que je revienne le voir. Je me suis éloignée docilement, mon nouveau dossier sous le bras. L'hôpital restait une aventure pleine de beaux mecs attentifs et légèrement autoritaires. Où me mènerait-elle ?

De retour auprès du docteur K avec les radios de mes poumons, je me suis recouchée sur une table. Dans une annexe, cette fois, une salle de soins : ENDOSCOPIE ET EXAMEN DE LA FONCTION PULMONAIRE, voilà ce que j'avais lu en entrant.

— Les radios ne sont pas bonnes, dit le docteur K. Il y a du liquide dans votre poumon droit, il faut le ponctionner.

— Le ponctionner ?

— Oui. On va vous installer un drain dans le dos.

Gloups ! J'ignorais ce qu'était un drain, mais l'idée d'une ponction dans le dos ne me paraissait pas folichonne.

J'ai dû relever mon chemisier une nouvelle fois, et même le retirer carrément. *C'est bien parti*, j'ai pensé. J'ai dû dégrafer mon soutif, aussi. Des frissons me parcouraient le dos et la poitrine, mais j'avais les yeux rivés sur la longue et grosse aiguille que fixaient le docteur K, son assistante – une lesbiche, manifestement – et Floris, l'aide-assistant. Trois paires d'yeux dirigées sur mes rondeurs… ou ne regardaient-elles vraiment que cette aiguille qu'ils allaient enfoncer dans mon dos jusqu'à mon poumon ? Floris n'en menait pas beaucoup plus large que moi. Il exécutait les instructions du docteur K à une certaine distance en manipulant avec une légère gaucherie les instruments de son patron.

Pendant ce temps, l'assistante m'expliquait ce qui allait se passer et pourquoi ils voulaient ponctionner.

— D'après les radios, vous avez trois quarts de litre de liquide entre la plèvre et le poumon.

— Ah.

— Si c'est un pus jaune qui sort du drain, ce n'est pas bon signe. Ça voudra dire qu'il y a une inflammation.

— Ah.

Elle n'a pas lésiné sur l'anesthésiant, mais, malheureusement, pas encore assez à mon goût.

— Aïe !

J'avais senti l'aiguille me traverser le dos et entrer dans ma plèvre.

Le docteur K s'est précipité avec un remède miracle et a pris l'aiguille des mains de son assistante. Le liquide s'est mis à s'écouler dans le long tuyau transparent qui sortait de mon dos. Il n'était pas jaune, mais comme je l'ai appris plus tard, ce n'était pas bon signe non plus.

De retour dans son service, le docteur K m'a demandé mon numéro de portable. Avec plaisir…

Le lendemain soir, il m'appelait déjà.

— Je ne comprends pas, ce n'est pas clair. Je voudrais vous hospitaliser une petite semaine pour différents examens. Nous commencerons par une endoscopie.

— Une endo-quoi ?

— Nous pratiquerons une petite incision de deux centimètres sur le flanc pour introduire une petite caméra dans votre dos. Et nous en profiterons pour prélever un peu de tissu.

— Ah… Si vous pensez que c'est nécessaire…

J'ai raccroché bravement, mais, tout de suite après, j'ai senti couler les premières larmes sur mes joues. Je m'embarquais dans une étrange aventure…

Je tremblais. Pour la première fois, j'avais peur. Peur pour mon corps. Peur pour ma vie.

— Le médecin veut me garder un peu auprès de lui, ai-je dit à mes parents après avoir séché mes larmes.

Je me suis retrouvée dans une chambre blanche, en pyjama blanc, dans un lit blanc, entourée de femmes en blanc. Avec un tuyau dans le nez, un pneumothorax (séquelle de l'endoscopie) et une poche d'un liquide plein de bulles au-dessus de ma tête. J'étais loin de prendre mon pied. Plutôt flippante, l'aventure. Et chiante. Mais j'avais enfin fini mon bouquin. Le docteur K – qui occupait désormais une place de choix dans mes fantasmes – venait tous les jours prendre des nouvelles de ma petite personne et d'Anna Karénine. Je pensais encore que j'allais mieux qu'elle.

Une semaine plus tard, mon père et moi, nous nous retrouvions dans un cabinet de ce service que je commençais déjà à bien connaître, assis face à un empoté de première. Le docteur K était en congrès pour une petite semaine.

En ce mercredi 26 janvier 2005, le champagne nous attendait au frais, à la maison. Nous pensions que j'avais eu une infection. Dans le pire des cas, une bactérie exotique que j'aurais chopée au cours de mes voyages en Inde et en Iran. Un sarcome rare n'était pas exclu, mais ce n'était pas très probable, à ce que j'ai appris par la suite. Moi, en tout cas, je ne l'avais pas inscrit dans mon agenda. Je continuais à trouver l'aventure palpitante chaque fois qu'un nouveau médecin entrait en scène.

— Nous avons reçu les analyses du labo. Les résultats ne sont pas bons. Vous avez un cancer, dit le confrère de mon docteur K chéri et adoré, les bras croisés au-dessus de son bureau.

J'en suis restée bouche bée.

L'instant d'après, je me suis retrouvée par terre en train de chialer. Je me suis cachée sous son bureau. Le choc ! Ce moment absolument irréel s'est vite dissipé. La réalité a repris ses droits.

Mon père regardait fixement devant lui. Il retenait ses larmes. Je me souviens que je l'ai regardé et que j'ai pensé : *Ils viennent d'en finir avec la chimio de maman. Ils ont eu leur compte. Et maintenant c'est mon tour !*

Quelques mois auparavant, ma mère avait en effet reçu sa dernière cure de chimio, précisément à un couloir et un escalier de distance de l'endroit où le ciel venait de me tomber sur la tête. Mais elle s'en était sortie. En conservant ses deux seins, en plus !

J'ai fini par me relever. Je voulais partir. J'étais emmitouflée dans ma grosse doudoune d'hiver parce qu'il fait froid en janvier, parce qu'il fait froid à l'hôpital Notre-Dame et parce qu'il fait froid dans les couloirs qui mènent au service de chirurgie-oncologie pulmonaire. J'ai versé neuf cent quatre-vingt-dix-neuf larmes, puis je me suis recroquevillée dans la chaleur de ma doudoune, incrédule. Avec une seule volonté : fuir ! Il fallait que je fuie, dans l'espoir de rejouer les dernières deux ou trois minutes de ma vie. Il faisait de plus en plus froid. Personne n'avait assisté à ce cauchemar avec mon père et moi. Il n'était encore inscrit dans la vie d'aucune personne de notre entourage. C'était peut-être cela qui rendait les choses si irréelles et en même temps si douloureuses. Et qui faisait que je me sentais si seule.

— Où allez-vous ? m'a demandé le médecin.

Qu'est-ce que j'en savais ! La seule chose dont j'étais sûre, c'était que je devais partir ! Partir et revenir à mon ancienne vie !

Normalement, je devais retourner à l'université une semaine plus tard. Ce jour-là, dans le cabinet du remplaçant du docteur K, mon univers a basculé, tandis que le monde continuait à tourner normalement pour tous les autres. Les étudiants continueraient à courir lorsque la sonnerie retentirait, avec leur misérable

21

gobelet de café, leur petit déjeuner et leur journal du matin. Je les voyais s'éloigner pour s'occuper de leurs petites priorités… Mais il y avait aussi les toubibs, subitement sinistres et terrifiants… Mon univers à moi, désormais, tournait sur lui-même. J'étais larguée.

Un quart d'heure plus tard, le confrère du docteur K nous envoyait au service d'oncologie, autrement dit en cancérologie. Là, des infirmières ont confirmé ce qu'on venait de me dire. La vérité commençait à prendre forme. Les seuls mots qui me sont restés de cette conversation sont les premiers que j'ai entendus : « agressif », « rare », « métastases »… Du foie aux poumons…

La baffe ! *Merde, ce n'est pas bon ça, pas bon du tout !*

Et la dernière phrase du toubib : « Ce sera un défi pour nous d'éliminer ce cancer. Mais ce sera un défi encore plus grand d'éviter la récidive. »

Nouvelle baffe !

Alors, je vais mourir ? j'ai pensé en fixant l'endroit où le mur et le sol se rejoignaient.

Les baffes continuaient à pleuvoir : « Si nous pouvons vous aider… »

Si ! Il avait bien dit « si » !

Oui, c'est ça, je vais mourir !… À quoi bon la vie ?

Et elles pleuvaient, les baffes, encore et encore : « Cinquante-quatre semaines… Chimio… Scanner osseux… Si… Si… Si… »

Il fallait que je parte de là, je n'étais pas en état de parler de mes cellules ou de ma moelle osseuse. Je suis sortie. Mon père est resté pour écouter les dernières recommandations et il a pris congé pour moi.

Nous devions nous rendre immédiatement au service de radiologie, où on m'a injecté une substance radioactive. Mon père s'est éloigné, pour téléphoner à ma mère et à ma sœur, mais ça, je ne l'ai compris qu'après.

Ça commence bien ! Si c'est déjà trop pour lui !

Il est revenu avec des yeux rougis qu'il a en vain tenté de me dissimuler. C'était encore le pire de ce cauchemar : un père qui s'effondre quand il croit que vous ne le regardez pas… Ou une mère qui pleure au téléphone avec votre sœur, dans l'escalier, parce qu'elle croit que, là, vous ne l'entendez pas…

Le produit devait agir pendant deux heures. Cela nous donnait juste le temps de changer d'air et de rentrer à la maison.

— Tout ça n'annonce rien de bon, p'pa, vraiment rien…

Ma vie est une histoire triste qui finit mal…

— Sophie, ils se sont montrés aussi négatifs pour ta mère, a répondu mon père. Ce sera une mauvaise année, mais l'an prochain, tout recommencera comme avant.

— Tu parles ! Ce n'est pas le cancer du sein !

— Les médecins sont comme ça, crois-moi !

Et les pères sont comme ça…

En arrivant dans notre rue, j'ai vu la silhouette de ma sœur, en survêt, devant la maison. Elle s'appelle Saskia, mais je dis toujours « frangine ». Parfois, nous nous ressemblons énormément, parfois, pas du tout. Nous avons les mêmes sourcils foncés et les mêmes lèvres pulpeuses, mais ça s'arrête là. Nous n'étions plus très proches, nous nous critiquions beaucoup, mais c'était elle et personne d'autre que je voulais voir à cet instant précis. Je me suis jetée dans ses bras. Je tremblais.

— Frangine ! Je n'ai que vingt et un ans ! J'ai un cancer ! Je vais peut-être mourir !

Elle m'a serrée très fort contre elle et j'ai senti qu'elle aussi elle tremblait. Nous sommes entrées dans la maison en pleurant comme des Madeleines.

Je me suis regardée dans le miroir, à la recherche d'un signe, de quelque chose d'étrange qui ne m'appartiendrait pas. À la recherche de ce cancer entré en intrus dans mon corps. Tout ce que j'ai vu, c'était une jeune fille anxieuse et blême comme la mort. Je ne comprenais pas. C'était moi, ça ? C'était ça que j'étais devenue ? Une cancéreuse ?

Ma mère rentrait à Amsterdam par le tram de Sloten. Je l'imaginais, assise dans un coin, regardant au loin par la fenêtre… Ou debout, coincée entre des imperméables dégoulinants de pluie, dans le tram bondé… Avait-il cessé de pleuvoir ? Je ne sais plus. Tant de larmes, déjà, avaient été versées à cause du cancer… Le cancer de ma mère et, subitement, le mien… Comment l'aider à continuer à tenir le coup si je ne tenais pas le coup moi-même ? Mais à sa façon de me serrer dans ses bras, plus tard, j'ai compris qu'elle serait toujours là.

Lorsqu'elle est entrée dans la maison en courant, j'étais aux toilettes : un pipi nerveux. J'ai refermé ma braguette en quatrième vitesse et tiré la chasse. Je flottais dans mon jean. Subitement, je comprenais : c'était à cause du cancer.

Les yeux de ma mère brillaient, mais elle ne pleurait pas.

— On s'en sortira, dit-elle à plusieurs reprises. On s'en sortira.

J'ai fait oui de la tête en tremblant.

Une petite heure plus tard, nous sommes retournés à l'hôpital, pour le scanner osseux. À eux seuls, ces deux mots faisaient retentir en moi toutes les sonnettes d'alarme.

Ma mère m'a aidée précautionneusement à prendre place dans l'immense appareil. Il n'y avait pas si longtemps, c'était elle qui s'était couchée là. Mon père, ma sœur et ma grand-mère, qu'on avait rameutée pour l'occasion, attendaient en bas, dans cette connerie de cafétéria de Notre-Dame. J'ai dû retirer mes bijoux, mais j'ai pu rester habillée. La pièce était grande, et l'appareil me semblait encore plus gigantesque. Ma mère m'a glissé son marron porte-bonheur dans la main et ne m'a plus lâchée jusqu'au moment où j'ai réussi à la convaincre que je répétais bien son mantra : « Je n'ai rien dans les os ! Je n'ai rien dans les os ! Je n'ai rien dans les os ! » Et un deuxième : « Je ne vais pas mourir ! Je ne vais pas mourir ! Je ne vais pas mourir ! »

Le scanner a duré une vingtaine de minutes. Pendant ce temps, on vous laisse seul, à cause des rayons. Je me souviens que j'ai réellement apprécié la paix soudaine qui m'a entourée. Je me suis même endormie, et c'était divin. Le réveil n'en a été que plus horrible.

En sortant de la salle du scanner, nous nous sommes assises sur des chaises, dans le couloir. Je ne sais plus vraiment pourquoi, car nous ne devions recevoir les résultats du scanner que la semaine suivante. Peut-être voulions-nous seulement souffler un peu avant de quitter l'hôpital.

Le jeune homme qui manipulait le scanner est venu nous dire que les choses avaient l'air de bien se présenter. Je ne comprenais pas : n'était-ce pas à mon nouveau médecin d'en décider ? Je croyais qu'il voulait simplement dire que la radio était réussie, que la lumière était bonne ou que je m'étais mise dans la bonne position, je ne sais pas, moi. Heureusement, ma mère avait sorti toutes ses antennes.

Le gars avait lu une telle anxiété dans nos yeux qu'il tenait à nous apporter tout de suite la bonne nouvelle d'une manière informelle. Il a dû répéter sa phrase trois fois pour qu'elle pénètre jusqu'à mon cerveau. Je lui ai sauté au cou, et ma mère s'est empressée de m'imiter. Pauvre homme, coincé entre ces deux femmes qui l'embrassaient chacune sur une joue ! Puis nous avons descendu les escaliers en courant, à la recherche de mon père. Il entrait à l'autre bout du couloir. Je me suis précipitée vers lui en criant :

— Papa, papa ! Je n'ai rien dans les os ! Je n'ai rien dans les os ! Je vais déjà mieux !

Je me suis jetée dans ses bras. Il est tombé à genoux.

Plus tard, il m'a dit que ce moment avait été le plus intense de toutes ces horribles journées.

Mais je n'en avais pas fini pour autant avec les examens. Le lendemain, je devais retourner à l'hôpital pour une ponction de la moelle osseuse. Je ne voulais pas y aller. Je détestais mon nouveau médecin et tout ce qui le concernait de près ou de loin.

Il m'a prévenue que j'allais avoir mal, mais je m'en fichais éperdument. Je l'ai vu prendre une longue aiguille et une espèce de tournevis et se tourner du côté de ma hanche.

Ma hanche ! Ma hanche !

Cela a laissé un petit trou, que l'infirmière a caché sous un gros pansement.

— Voilà ! Très bien ! Vous avez été très courageuse !

C'était une gentille infirmière aux cheveux courts qui laissaient voir ses oreilles. Il y a tout de suite eu un lien entre nous, sans doute parce qu'elle se souvenait bien de ma mère.

Ma mère, justement, me tenait les deux mains dans les siennes en me regardant droit dans les yeux. Je grelottais de peur. J'avais peur des médecins et de leurs mots qui font mal. J'avais peur du cancer. Et, surtout, j'avais peur de ce qui allait m'arriver…

Samedi 29 janvier 2005

Deux doigts d'honneur ! Je fais deux doigts d'honneur à l'objectif ! On est samedi, et tout a changé. Non, je ne suis pas allée au marché ce matin, non, je n'ai pas pris un café dans la Westerstraat et, non, je ne me prépare pas à vivre un nouveau semestre à la fac !

Dans deux jours, je commence ma première chimio à l'hôpital Notre-Dame. Durant les deux mois à venir, je suis censée y aller chaque semaine pour y recevoir une nouvelle dose de vincristine, d'étoposide, d'ifosfamide et que sais-je encore.

Je suis face à l'objectif. Mick Jagger hurle dans les baffles. J'aime sa voix rauque et la guitare de Keith Richards. Et j'aime l'objectif. J'ai demandé à Martin, qui est photographe, mais aussi et surtout un grand ami, de prendre Sophie en photo avant qu'elle n'ait la tête marquée par le cancer.

Je suis émue. C'est la première fois depuis mercredi que je ne reste pas dans mon lit à pleurer et à me faire consoler. Quand je regarde mon visage sur l'écran numérique de Martin, ça crève les yeux : j'ai les émotions à fleur de peau. Mes yeux brillent. Je me laisse totalement aller, et c'est bon. J'ai peur et je me sens forte. Les deux à la fois. Mais devant l'objectif, c'est la force qui prend le dessus. J'emmerde le cancer. J'emmerde Notre-Dame. Et j'emmerde les toubibs du monde entier.

Lundi 31 janvier 2005

Vita BREVIS : voilà ce qu'on peut lire sur la façade arrière de l'immeuble qui fait face à notre maison. C'est le plus haut et le plus imposant du quartier. Depuis que les ormes ont été malades et qu'on les a coupés, on ne peut plus rater cette inscription. « VITA BREVIS »… L'immeuble date du XVIe siècle. Je ne peux pas m'empêcher de penser que ses premiers occupants m'envoient un message prémonitoire par-delà les ans.

Après avoir emballé mes dernières affaires, je sors, mon sac à la main. Cela a un air de départ en vacances. Mon père charge mes bagages dans la voiture. Ma mère, ma sœur et moi, nous restons là à l'observer. Pour eux comme pour moi, c'est une aventure étrange et effrayante qui commence – à la différence qu'eux c'est eux, et que moi c'est moi. Je suis la seule à avoir un cancer, même si cela ne se voit pas encore.

La distance entre nous ne commence à se marquer qu'à l'hôpital : on n'a réservé qu'un seul lit.

Nos yeux se gonflent de larmes. Eh bien voilà. Qu'est-ce que ça fait de se dire qu'on va peut-être mourir ? Ou plus précisément, si j'interprète bien ce que m'a dit mon médecin, qu'on va *probablement* mourir ?

Je sens la mort rôder autour de moi. Dans mon service, le C6, on me donne un lit en salle commune, malgré les regards implorants que je lance à mon nouveau médecin, le docteur L, dans l'espoir d'avoir une chambre particulière.

Le docteur L... Également connu sous le nom de « docteur je ne suis pas gentil, mais c'est pour votre bien ». En abrégé, « docteur Lourdingue »...

Une petite vieille se traîne autour de son lit en émettant des couinements qui auraient plus leur place dans un service psychiatrique. Les larmes me montent aux yeux. L'instant d'après, un infirmier du nom de Bastiaan entreprend de jongler avec les lits disponibles pour me trouver une chambre particulière.

Nous passons devant une salle où se pressent des infirmières et quelques médecins. Des regards et des sourires prudents s'échangent de part et d'autre. Je pénètre dans ma nouvelle chambre. Je marche vers mon lit, pleine d'appréhension. Mes parents et ma sœur me suivent, tout aussi tendus que moi.

L'infirmière qui s'occupera de moi dans les jours à venir porte une longue chevelure rousse et bouclée. Elle a de jolies fossettes au coin des joues. Elle s'appelle Hanneke. Avec la même facilité qu'elle m'a dit que j'avais une salle de bains privée, Hanneke m'annonce que je vais perdre mes cheveux après trois semaines de traitement. Je tire sur une mèche, en essayant d'imaginer le crâne qui se cache dessous. Je n'ai jamais eu un casque volumineux mais, aujourd'hui, je ne voudrais perdre mes mèches folles pour rien au monde.

— Et mes cils ? Et mes sourcils ?

— Vous allez les perdre aussi, probablement.

— Et les poils de mon pubis ?

— Aussi.

— Waouh ! Je vais ressembler à une gamine !

Bastiaan installe le pied à intraveineuse. Nous attendons l'arrivée des premiers flacons de chimio. Il est chauve et il porte une chaîne à grosses mailles. Une bonne raison pour faire installer un verrou à sa porte, me diriez-vous, mais non, c'est juste un bon gros nounours. Les trois flacons de chimio arrivent. D'un air jovial, Bastiaan les suspend au pied à intraveineuse, à côté des nombreuses poches de sérum physiologique qui le décorent en permanence. IFOSFAMIDE, VINCRISTINE et DACTINOMYCINE. On va m'injecter ces produits trois jours de suite, jusqu'à huit heures par jour, tandis que les infirmières apporteront continuellement des poches de sérum physiologique. Suivront deux jours de rinçage. Hanneke règle quelque chose au cathéter. Le liquide transparent jaunit progressivement.

— C'est la chimio ?

— Oui.

Je me concentre sur le liquide jaune qui progresse dans le tuyau et qui se rapproche de ma peau. Je regarde mon poignet. Est-ce que je veux vraiment que cette horrible mixture pénètre dans mon organisme ? Et si j'arrachais tout au dernier moment ?

— Je vais vomir ?

— C'est possible, répond Hanneke. Mais pas forcément. Nous avons de très bons médicaments contre la nausée, maintenant.

L'un de ces produits miracle s'appelle le dexaméthasone. En quelques heures, je me sens gonflée comme une outre, à cause de tout le liquide que j'ai déjà absorbé. Je ne vomis pas, mais il s'en faut de peu. En fait, c'est pire. J'ai dans la bouche l'odeur de ce que j'ai mangé à mon dernier repas : un sandwich à la salade de thon. La salade de thon et moi, j'ai bien peur que ce ne soit fini pour toujours !

Mais je ne crache même pas de bile, et je ne passe pas la nuit penchée au-dessus de la cuvette des toilettes. Je peux bien avoir de la chance de temps en temps...

Mardi 1er février 2005

Chacun des membres de ma famille s'est assigné une nouvelle mission. Cette semaine, ma mère reste vingt-quatre heures sur vingt-quatre à mon chevet, histoire d'apprivoiser notre cauchemar commun. Mais pour dormir, on repassera. Le matin, nous sommes tirées du sommeil par une armée d'infirmières et de dames de service dès sept heures vingt. Heureusement que ma mère est là, j'ai tant besoin d'elle pour affronter le cancer ! Quand je vais faire pipi, c'est elle qui débranche la prise de courant à laquelle est reliée la pompe du pied à intraveineuse. Quand je me sens trop patraque pour me lever, c'est elle qui me brosse les dents et qui me tend le bassin. Bref, elle est constamment sur le pont pour aider les infirmières. Elle ne prend un peu de repos que quand je m'assoupis.

Mon père règle tout ce qu'il faut régler, se renseigne sur mon nouveau médecin auprès de ses amis du monde médical et fait des recherches sur Google au sujet de ma maladie. Il construit une bonne relation avec le docteur L (meilleure que la mienne !). Ils papotent, pendant que je regarde ailleurs. Après, il me rend compte de toutes les infos qu'il a grappillées, tout en m'épargnant le blabla scientifique. Cela me permet de ne pas avoir de contacts avec le docteur L. Ça tombe bien, je le trouve sinistre comme un cancer.

Mon père a toujours su créer des réseaux, c'est d'ailleurs à peu près tout ce que je sais de ce qui l'occupe entre neuf heures du matin et neuf heures du soir. Grâce à ce talent, il a trouvé un hôpital américain, la Mayo Clinics. Il n'y a désormais plus que ça qui l'intéresse.

Quand je me suis assise devant l'écran d'un ordinateur et que j'ai tapé le mot « rhabdomyosarcome », ma maladie s'est révélée moins rare que je ne le pensais. J'ai trouvé 846 000 occurrences en 0,17 seconde !

Signes annonciateurs du cancer chez l'enfant : le rhabdomyosarcome.

Le rhabdomyosarcome est une tumeur hautement maligne à évolution rapide. Il recouvre plus de la moitié des sarcomes des tissus mous en pédiatrie.

Il a pour origine le rhabdomyoblaste, une cellule embryonnaire mésenchymateuse. Au lieu de se différencier en cellules musculaires striées, les rhabdomyoblastes ont une activité transcriptionnelle aberrante. Les cellules musculaires étant présentes partout dans l'organisme, cette tumeur peut apparaître en de nombreux endroits.

Traitement :

Le rhabdomyosarcome est traité par chirurgie, chimiothérapie et radiothérapie.

Statistiques :

Représente 5 à 8 % des cancers chez l'enfant.

70 % des cas de rhabdomyosarcome sont diagnostiqués durant les dix premières années de vie.

Le rhabdomyosarcome touche en général les enfants de 2 à 6 ans et de 15 à 19 ans.

L'incidence la plus élevée figure dans la catégorie des enfants de 1 à 5 ans.

L'espérance de survie est en général de cinq ans chez l'enfant.

http://www.acor.org/ped-onc/diseases/
rhabdo.html

Gloups ! Plus le cancer se fait réel, plus mes rêves s'évanouissent… À dire vrai, ils se sont même tous évaporés… Pfuit ! Tout me dégoûte. La nourriture, mon jean, le livre posé sur ma table de nuit… Je n'en ai plus rien à cirer, je me contrefiche d'avoir mal quand on m'installe la perf, je me fous complètement de dégobiller dans le seau que me tend ma mère…

Je ne me suis jamais sentie aussi vide de ma vie.

Ma frangine s'occupe de la maison. Et cela ne se limite pas à remplir l'écuelle de notre chat, si vieux qu'il en est devenu aveugle et dément, et à sortir les poubelles le lundi et le jeudi. C'est elle qui veille à ce que mon père prenne ses repas à une heure décente. C'est elle qui passe des coups de fil à notre mère, qui lui achète des petits pains et qui dépose sur sa table les revues les plus *glossy*. J'ignore où elle trouve encore le temps de m'apporter des pâtes, de la soupe bio, du lait corporel et son sourire rayonnant, mais, tous les jours, elle est là, fidèle au poste !

Ma mission à moi est simple comme bonjour : avoir la nausée, puis essayer de récupérer. Et c'est ce que je fais. Je me suis réglée en mode survie. Je passe ma journée au lit, anxieuse et malade, mais bien déterminée à consigner cette histoire à la con, hypertendue dès que la porte de ma chambre s'ouvre pour laisser entrer mon sinistre médecin et ses stagiaires tout aussi lugubres. Il frappe, d'accord, mais seulement par habitude, et certainement pas avec l'intention de prévenir le patient de sa visite. Avec ça, agréable comme une porte de prison ! Je le décapite en pensée dès qu'il ouvre la bouche. C'est sa faute, aussi ! Pourquoi prononcer ces paroles qui me font froid dans le dos ?

Mercredi 2 février 2005

— Mais regardez-moi dans quel état elle est ! Si vous ne prenez pas immédiatement des mesures, je l'emmène avec moi sur-le-champ !

Depuis ma chambre, j'entends la voix de Jan et le rire de Jochem. Ils sont dans le couloir. Ils parlent avec le docteur L, qui me semble nerveux et pas vraiment à son aise.

Ma tête a désormais la taille d'un ballon de football et la couleur d'une tomate en état de maturation avancée, et j'ai des bras de bonhomme Michelin. Depuis hier, j'ai pris trois kilos, et Jan et Jochem s'en rendent compte au premier coup d'œil.

— Salut, ma petite chérie ! Quelle mine rayonnante ! Extra, la couleur de tes joues !

Jan sort de son sac plusieurs revues glamour et une bouteille de jus de fruits des bois frais.

— Pour les anticorps !

Jochem exhibe lui aussi deux bouteilles au contenu presque noir. Du jus de sureau.

— J'ai demandé la boisson la plus vitaminée, dit-il de sa voix douce en m'embrassant. C'est très bon pour toi, d'après la vendeuse.

Après ma famille et Annabel, Jan, Jochem, Rob et Martin comptent parmi les rares personnes que j'ai envie d'avoir près de moi ces jours-ci. C'est leur deuxième visite. La première fois, j'étais encore dans le service du docteur K, et ils m'attendaient tous les deux au premier étage, en radiologie, où j'avais dû retourner pour faire de nouvelles radios des poumons. Ce jour-là, Jan m'avait apporté une sucette en forme de cœur et Jochem un bouquet de fleurs. Et des revues, bien sûr, Jan ne lésine jamais sur ce type de dépense. Nous avions bu un café dans le hall, puis ils m'avaient ramenée dans ma chambre, dans le service du docteur K, où on m'avait fait une nouvelle piqûre, sans doute pour s'assurer que je n'avais pas attrapé la tuberculose entre deux étages. Jan avait fait tout un ramdam auprès de l'infirmière pour qu'elle ne me fasse pas mal et qu'elle me fiche la paix.

Aujourd'hui, comme par hasard, nouvelle piqûre en leur présence. Bastiaan doit réinstaller la perf, celle d'hier a glissé. Je lis sur les visages de Jan et de Jochem qu'ils commencent à trouver la situation un rien pompante. Voilà leur Sophie qui se métamorphose en méduse. Ils ne disent rien, ils ne lâchent même pas la moindre vanne. Ils s'éloignent prudemment et reprennent leur conversation avec les toubibs dans le couloir.

Vendredi 4 février 2005

On frappe à ma porte. C'est cet imbécile de la chirurgie pulmonaire qui a été le premier à m'annoncer la mauvaise nouvelle. Pauvre mec, c'était le premier jour qu'il remplaçait mon docteur K adoré. Il passe la tête derrière le rideau qui me protège de tout ce qui grouille, gueule et dégueule dans l'hôpital. Le con, il m'a fait la peur de ma vie !

— Comment ça va, aujourd'hui ?

— Ça va, ça va…

J'ai la tête comme un seau avec tous ces médicaments, mais je ne sais pas pourquoi, je dis à tout le monde que ça va. Que je m'en sors…

Il s'éloigne pour laisser la place à la silhouette longiligne du docteur L et à une horde de stagiaires. Cela crève les yeux comme le nez au milieu de la figure, ces types-là se croient sortis de la cuisse de Jupiter (mais moi aussi). Sans s'annoncer, ils se plantent autour de mon lit à une heure peu charitable pour une patiente cancéreuse.

— Bonjour. Nous venons vous voir.

Ah, ah ! J'avais remarqué ! Je balaie prudemment du regard ce groupe de toubibs du service oncologie-hématologie, mon service, mon arrêt terminus, à la recherche d'un homme. L'homme de la chirurgie pulmonaire. L'homme qui, après avoir procédé à ses examens, remettait si délicatement en place ma chemise de nuit trempée de transpiration sur mon dos dénudé. L'homme qui venait me voir tous les jours. L'homme qui, quand il en avait le temps, ne s'informait pas seulement de mon sort, mais aussi de celui des personnages des livres que j'avais emportés avec moi pour tuer le temps. Mais le docteur K n'est pas parmi eux…

Le docteur L est différent, aujourd'hui. Il sourit !

— J'ai deux bonnes nouvelles, dit-il. Premièrement, nous avons reçu les résultats définitifs du labo. Vos os sont absolument sains ! Deuxièmement, nous avons ré-étudié vos radios. Nous sommes arrivés à la conclusion que la tumeur principale ne siège pas dans votre foie, mais dans la plèvre. Cela signifie que les tumeurs sont restées confinées dans la cage thoracique et qu'elles ne sont pas encore descendues dans l'abdomen droit.

Ah !

— Les élancements que vous ressentez à hauteur du foie indiquent la présence de métastases, mais pas d'une propagation d'organe à organe [comprenez : du foie au poumon]. Le pronostic est donc beaucoup plus favorable.

Silence. Je ne suis pas encore bien certaine de comprendre. Le foie, la moelle osseuse, les os… Mais ma mère pousse un cri strident et commence à renifler. Adieu, silence !

Peu à peu, je comprends : c'est une très bonne nouvelle. *Mon foie n'est pas touché ! Mon foie n'est pas touché ! Mon foie n'est pas touché !* A voir tous les visages sombres qui m'entourent, j'ai comme l'impression que, si le cancer du foie avait été confirmé, je pouvais déjà envisager de réserver une place au cimetière de Zorgvlied. Mais je n'ose pas pousser des cris de joie. Pour le même prix, le docteur L est capable de regarder mes radios une troisième fois et de changer d'avis.

— Avec des nouvelles comme ça, vous pouvez revenir quand vous voulez !

Le docteur L et toute sa clique s'éloignent pour poursuivre leur tournée.

Jeudi 17 février 2005

À mon réveil, il y a des cheveux sur mon oreiller. Et des touffes entières sur ma brosse. Et des larmes dans le lavabo.

Une heure plus tard, je suis assise dans un fauteuil. Dans le miroir, je vois le reflet de la vendeuse qui s'active autour de ma tête. Des mains étrangères courent dans mes cheveux. Ils tombent, par milliers. Le désastre progresse, minute par minute. Je me vois devenir chauve, moi qui me suis encore lavé les cheveux normalement pas plus tard qu'hier. Mais c'était hier, et aujourd'hui, c'est aujourd'hui. Et aujourd'hui, je n'y couperai pas : il faut que je mette une perruque.

C'est la troisième fois que j'entre dans un magasin de perruques. Ça ne m'empêche pas d'être mal à l'aise. Les deux premières fois, c'était il y a un an, avec ma mère, quand le cancer du sein lui a fait vivre le même enfer : avoir subitement la boule à zéro et être obligée d'essayer des postiches. Je n'en ai gardé que de mauvais souvenirs : les alignements de perruques dans les étalages, le rayon des tondeuses, et, dans les deux cas, une vendeuse avec laquelle il était impossible de communiquer. Ma mère portait toujours les cheveux relevés en arrière. Maintenant, elle les porte courts. Elle a été opérée deux fois, dans un laps de temps réduit. L'examen au microscope des tissus prélevés la deuxième fois a montré que cette étape était bel et bien indispensable, tout comme les cinq semaines de rayons à l'hôpital Antoni van Leeuwenhoek et, ensuite, la chimiothérapie en traitement de jour à Notre-Dame. Elle s'en est heureusement bien sortie. Mais, à l'époque, ce fut vraiment terrible.

Les mots qu'employait son médecin étaient de plus en plus angoissants : intervention chirurgicale, deuxième intervention, rayons, chimio… Ce dernier mot nous

avait fait craindre le pire. La chimio ! Synonyme :
perte de cheveux… Synonyme : mort… Nous avions
instinctivement fait le rapprochement.

Et voilà que je suis aujourd'hui en cure dans la salle
où ma mère a eu sa chimio ! C'est bien simple, les
infirmières nous reconnaissent ! On se croirait dans
Sex and the City, dans l'épisode où les quatre filles
dégustent une glace pendant que Samantha reçoit sa
perf. Sauf que nous, nous mangeons des biscuits à la
cuiller.

La vendeuse apporte plusieurs espèces de boîtes à
chaussures. Elle en sort toutes sortes de perruques. Ici,
on les cache, au lieu de les exhiber sur des présentoirs
blancs.

— Désolée, dis-je. C'est la cata, tout à coup.

Des photos de moi, avant, sont étalées sur la table.
Il y a des cheveux à moi sur mes épaules, sur mes
genoux et sur le parquet. Des perruques… Guns
N'Roses sur ma tête… Annabel avec ses cheveux
noirs et soyeux… Et ma frangine, si belle… Les cheveux courts de ma mère, qui me font chaque fois
repenser au cancer… Notre-Dame…

Mais qu'est-ce que je fous là ?

Les voisins qui regardent d'un air désolé… Des
marchands de primeurs qui glissent un complément de
vitamines dans mon panier à provisions… Des amis
qui me serrent trop fort dans leurs bras… Des membres de ma famille qui éclatent en sanglots… Un
simple trait à la place de mes lèvres pulpeuses… Des
larmes aux yeux… Une coiffure de bourge plaquée sur
la tête…

Trois envies : partir, me cacher, faire un bras d'honneur au monde entier.

— Waouh ! On dirait un Vermeer ! Tu sais, la jeune fille à la perle !

Voilà une image un peu plus belle que celle qui me traverse l'esprit quand je me regarde dans le miroir.

J'ai beaucoup tripoté les rubans d'Annabel et la laque reçue en prime avec ma perruque avant d'enfin oser descendre dans la cuisine. Il est midi. Ma mère et son amie Maud boivent un café. Je souris, j'embrasse Maud, je remplis la bouilloire et je file me regarder à nouveau dans le miroir.

— Vraiment ! Tu lui ressembles comme deux gouttes d'eau ! continue Maud.

Ma mère sourit jusqu'aux oreilles. Je me gratte la tête. C'est fou comme ça me démange, là-dessous ! Il va vraiment falloir que je me débarrasse de mes derniers cheveux.

Un gros agenda commercial est posé sur la commode. Il est tout entier dédié aux cinquante-quatre semaines de chimio et de rayons qui s'annoncent. Nos cinquante-quatre semaines… Nous les bifferons, une à une, d'une grande croix…

La première évaluation est prévue pour la neuvième semaine. Au programme : un scanner, pour vérifier si ça sert à quelque chose que je continue à dégueuler. Je trouve ça complètement flippant. Encore une nouvelle peur. Je la sens monter, monter, monter, même si je fais l'impossible pour l'arrêter. Je n'ose pas m'accrocher à l'idée que l'avenir pourrait prendre un tournant favorable à cet instant-là, la gifle n'en serait que plus violente dans le cas contraire. Je m'en tiens donc au scénario le plus noir : mon cas est désespéré. Je prends

Sally dans mes bras et je la serre très fort contre moi. Qui, de ma vieille chatte ou de moi, survivra à l'autre ?

Depuis quelques semaines, je pense beaucoup à la mort. Je comprends ça subitement : je suis un être humain qui fait partie d'un tout bien plus grand que lui. De notre naissance à notre mort, nous marchons sur un fil. C'est notre ligne de vie. Les pensées de ce type me donnent un peu plus confiance en moi. La mort en devient moins étrange, moins menaçante, moins terrible. C'est juste dommage que ce soit à moi que ça arrive…

C'est la première fois que je mets ma perruque après m'être maquillé les yeux. Je me balade dans la maison dans les pantoufles soyeuses de ma mère et dans la robe de chambre blanche, si douce, que m'a offerte l'amoureux le plus génial du monde. Malheureusement, ce n'est pas mon amoureux, mais celui de ma frangine. Ça ne m'empêche pas d'en profiter un max. Désormais, ma vie est un film dans lequel je ne fais plus que recevoir, recevoir et encore recevoir. Des fleurs, un iPod ou un câlin plein d'amour… Le seul problème, c'est que moi, pour le moment, je n'ai pas grand-chose à donner.

Je me sens amorphe et lourde, alors que je suis en train de fondre. La balance indique que j'ai encore perdu un kilo. Cette semaine, c'est comme ça tous les jours. En fait, j'ai trouvé le régime idéal : peur, stress et transpiration. Cela fait plusieurs mois maintenant que je transpire toutes les nuits, mais cela n'avait encore jamais été aussi intense. Je me réveille plusieurs fois par nuit, trempée. Je claque des dents, mes côtes s'entrechoquent… Larmes et sueur… Mon corps est en proie à un cataclysme sur lequel je n'ai aucune prise. C'est à ces moments-là que j'ai le plus peur. La maladie est là, tout près.

Ils appellent ça la « fièvre du cancer ». Elle arrive tous les soirs, vers vingt et une heures. Cette nuit, vers trois heures et demie, je me suis encore réveillée dans un tee-shirt trempé. Ma mère m'a aidée à en enfiler un nouveau. Ça puait la transpiration dans toute la chambre. Il y avait quatre tee-shirts posés à côté de mon lit : deux mouillés à les tordre, dégoûtants, et deux bien propres et bien secs. Et chaque matin, c'est la même chose : tous les yeux sont rivés sur le tas de tee-shirts sales. S'il diminue, cela veut dire que les tumeurs perdent du terrain et que la chimio fait de l'effet.

Je dors maintenant au pied du lit de mes parents, comme la petite fille que je fus il y a bien longtemps. Je suis au plus bas : j'ai peur, je me sens fragile et seule, si seule, si seule, même si mes chers parents sont juste à côté de moi.

— P'pa, j'ai peur !

— Sophie, tu es tout ce que j'ai, a dit mon père en me prenant dans ses bras.

Je me suis blottie contre lui, pétrie d'angoisse. Je collais. L'instant d'après, ma mère nous enlaçait tous les deux.

— Qu'est-ce qui va se passer si je meurs ? ai-je dit en m'accrochant à eux.

Par un interstice des rideaux, je voyais un coin de nuit derrière l'épaule de mon père. Un arbre chauve, un rayon de lune et, derrière, l'obscurité.

— Tu ne vas pas mourir, a répondu ma mère.

— Oui, mais qu'est-ce qui va se passer si je meurs ? Si mes tumeurs ne s'en vont pas ? J'ai tellement peur du scanner !

Mes yeux pleuraient, mon ventre était secoué de spasmes.

— Nous aussi, Sophie, nous aussi, a dit mon père en me regardant d'un air abattu.

Je trouve ça bien qu'il m'ait laissée exprimer ma terrible angoisse et qu'il ne m'ait pas demandé de me taire.

Je suis toujours devant la commode, à me gratter. Les rares cheveux qui me restent me causent des démangeaisons insupportables. A quoi bon ? C'est décidé, je n'attends plus ! J'appelle ma tante Kristien à l'aide !

Une demi-heure plus tard, Kristien entre dans la cuisine. Maud se lève, elle préfère nous laisser entre nous.

— J'ai pris un excellent rasoir ! C'est Nikki qui me l'a prêté, un pote du temps où je travaillais encore comme coiffeuse, dit Kristien.

Ma mère et ma tante tiennent le miroir. Je mets le rasoir en marche. Nous sommes assises à la table de la cuisine. Toutes les trois, nous fixons mes mains qui guident l'appareil le long de mon crâne avec des gestes décidés.

Voilà, c'est fait. Ça n'a pas duré plus de quelques minutes. Je me trouve affreuse, mais je me console en pensant que GI Jane a fait la même chose et que ça n'a rien retiré à son charme. Il n'empêche : pendant plusieurs semaines, je vais éviter tous les miroirs. Je déteste ma nouvelle tête, avec ou sans perruque.

Sept semaines exactement se sont écoulées depuis ma première hospitalisation au C6. Me voici dans l'ascenseur de l'hôpital Notre-Dame, en route pour ma deuxième semaine de *vacances*. Je dois être hospitalisée deux fois par tranche de neuf semaines : la première et la septième. Je reçois les autres injections en traitement de jour. Là, c'est l'affaire de quelques heures, mais seulement pendant la première tranche (les neuf premières semaines) car, par la suite, je devrai revenir plusieurs fois une journée entière. Je me suis confectionné un calendrier compliqué dont je ne maîtrise pas encore toutes les subtilités. Je crois que les médecins n'aiment pas faire simple. Il me reste peu de temps pour autre chose, car je dois beaucoup me reposer, sans compter que j'ai une prise de sang tous les vendredis.

C'est l'anniversaire de ma frangine. Vingt-cinq ans ! Un quart de siècle, déjà ! J'ai toujours su que je l'aimais beaucoup, mais maintenant je le sens de l'intérieur, en continu, et ça n'a plus rien à voir. J'ai des bouffées d'affection pour elle quand elle s'occupe de moi, surtout, mais aussi quand elle s'assied à côté de moi à la table de la cuisine pour potasser ses cours de communication.

Je retrouve le plaisir des petites choses : me brosser les dents, faire les courses, m'habiller, regarder la télé… C'est chaque fois une petite fête sur ce fond de maladie – et avec la mort en perspective…

Le docteur L vient aux nouvelles. Il veut savoir où j'en suis avec les effets secondaires. Il en profite pour vérifier la couleur de mes joues. Il se plante là, raide dans sa blouse blanche, et marmonne quelque chose avant de passer immédiatement à l'ordre du jour :

— Ressentez-vous des picotements aux extrémités des doigts et des orteils ? Il faut surveiller les effets secondaires de la vincristine, ils sont nombreux.

Non, je n'ai rien de tel. Par contre, depuis que j'ai commencé la chimio, je sens régulièrement des flèches me transpercer le corps. Comme si la maladie n'avait commencé à se manifester réellement que depuis que la médecine luttait contre elle. Est-ce le cancer ou la chimio qui fait souffrir les patients du C6 ? Oui, voilà : j'ai du mal à faire la différence entre les douleurs fulgurantes suscitées par le cancer et celles que provoque la chimio censée le combattre.

Parfois j'ai peur, je crois que la maladie a atteint toutes les parties de mon corps, mais l'assistant du docteur L a presque réussi à m'enlever cette idée de la tête. Dommage que le docteur L ne soit pas aussi doué de ce point de vue.

— Votre taux d'hémoglobine est trop bas [comprenez : vous êtes bien pâlichonne !]. On vous fera une transfusion en fin de semaine. Il y a toujours un petit risque – de l'ordre de un sur un million –, mais je préfère ça que de jouer avec l'EPO.

— L'EPO ?

— Une injection hormonale qui stimule la fabrication de globules rouges dans la moelle osseuse. Et sans doute aussi des cellules cancéreuses.

— Ah ! Comme chez les cyclistes ?

— À peu près, oui. Vous transpirez toujours autant la nuit ?

Aïe ! Le docteur L fait monter la pression. Simple habitude. Cette transpiration nocturne est la grande obsession de mes parents. Les nuits les plus difficiles, il faut changer mes draps trois fois et j'use cinq tee-shirts. Avec toute cette eau qui sort de mon corps, je m'affaiblis et je maigris à vue d'œil.

— De moins en moins, mais cette nuit a encore été terrible.

— Ce n'est pas une bonne chose [j'ai pourtant dit « de moins en moins », non ?], il va falloir surveiller ça.

Je continue à penser que le docteur L est un sinistre personnage et à l'accuser d'avoir mis ma vie sens dessus dessous. Comme si c'était sa faute si les tumeurs progressent dans mon organisme ! Mais n'est-ce pas lui qui leur a donné un nom ? Sur son badge, il est « docteur L », mais les infirmières l'appellent par son prénom. Dans ma tête, il reste « docteur Lourdingue », même si je ne le dirai jamais tout haut. Il passe régulièrement, en général tous les jours, pour voir si ses plantes poussent bien. Ou plutôt : si elles végètent bien. Ce pantin longiligne et dégingandé porte le titre d'hématologue. Toujours pressé, il est raide, gauche, balourd, et c'est un handicapé absolu de la communication. Pour ses patients, en tout cas. Car je l'entends souvent rire avec ses stagiaires. C'est clairement le type même du scientifique qui se réfugie derrière ses bouquins, à mille lieues de penser qu'il pourrait donner ne fût-ce qu'une once d'espoir à ses malades. Le moral des troupes, il s'en fiche, ce n'est pas un paramètre quantifiable. Son refus de nous dire si j'étais soignable ou pas nous a valu deux belles nuits blanches. Par la suite, nous avons compris que c'était seulement une question de terminologie : monsieur avait mal choisi ses mots !

Mais c'est aussi mon médecin, mon espoir et mon guérisseur. Mon sorcier. Cet homme incarne la médecine, la pure, animée par une vraie passion et une formidable énergie pour libérer toutes les Sophie de leurs cauchemars. Dans mon univers, personne ne lui arrive à la cheville. Pas même le docteur K.

Pour la première fois, je déambule dans les couloirs de l'hôpital avec mon crâne chauve. J'ai ma perruque, mais je ne sais pas encore ce qui est le plus moche : Sophie avec une coiffure grisâtre de bourge coincée ou Sophie version skinhead. Alors je me suis noué un foulard sur la tête, de sorte qu'il est difficile de me distinguer de la jeune fille qui entre tous les matins dans ma chambre avec un seau de chlore et son balai à franges pour la rendre encore plus stérile.

Bastiaan m'appelle « tête d'œuf », et je ne peux pas m'empêcher de rire. À huit heures, c'est comme ça qu'il me réveille : « Salut, tête d'œuf ! » (comme si j'étais la seule chauve du service !), avant de m'aider à enfiler un tee-shirt sec, ce qui n'est pas évident, avec tous ces tuyaux qui entrent dans mon bras. Puis il m'offre quelques caresses sur le crâne avant de papoter avec moi tout en remplaçant le bandage qui maintient la perf en place sur mon poignet.

Je reçois deux poches de sang A positif, de quoi faire du bien à mon taux d'hémoglobine et transformer Sophie l'indolente en Super Sophie. C'est étrange, quand on y pense : je dépends du sang de quelqu'un d'autre comme d'une drogue. C'est peut-être pour cela que tout me semble légèrement différent. C'est peut-être pour cela aussi que j'ai perdu le goût du sucré. Et que, subitement, j'adore écrire.

— Quelle pagaille, ici !

Je veux bien, moi, mais comment faire pour se coucher normalement avec tous ces tubes autour de soi ?

Vers dix heures et demie, je me douche. Je prends tout mon temps pour m'enduire de lait corporel et de crèmes, pour faire passer l'ennui. Pour m'habiller, j'enfile tout par mes pieds, puis par mes hanches. C'est impossible autrement, avec la perf.

Je tiens à rester coquette. J'ai emmené mes plus belles chemises de nuit, au cas où je recevrais la visite du docteur K ou d'un autre toubib sexy. Ou dans l'éventualité où je devrais sortir de mon service et me rendre par exemple dans le hall d'accueil de l'hôpital. Quand j'y vais, je sens que tous les yeux sont rivés sur moi, sans doute parce que je pousse maladroitement devant moi mon pied à intraveineuse au sommet duquel ballottent les poches de chimio… Je me réfugie le plus vite possible dans ma chambre, pour oublier l'hôpital – pour tout oublier.

Désormais, quand je me réveille, le matin, je suis toujours surprise, au début, de ne plus trouver aucun cheveu sur mon oreiller.

— Bonjour, ma chérie, comment ça va aujourd'hui ?

Je me retourne vers la voix familière. Une énorme orchidée violette entre dans la chambre. Derrière elle, Annabel !

Annabel et moi, on se connaît depuis la maternelle. On a fait toutes nos classes ensemble. Il ne se passe pas un jour sans que nous ne cherchions à savoir ce que fait l'autre – et avec qui…

Nous sommes Gémeaux toutes les deux. Mais comme nos caractères sont passablement différents, Annabel, qui croit dur comme fer à l'astrologie, fait la distinction entre les Gémeaux ascendant Cancer (moi, comme par hasard) et les Gémeaux ascendant Taureau (elle). Elle étudie le marketing, je fais des études de sciences politiques. Si elle s'était appelée Hendrik, j'aurais été folle amoureuse d'elle. Heureusement pour nous, je ne suis pas lesbiche.

Annabel m'aide à m'habiller. Nous papotons, chemises Missoni, sacs Balenciaga, la fac, mais aussi des mérites des panneaux solaires, de l'inflation et des génocides en Afrique – oui, d'accord, on ne nous changera pas.

Nous avons découvert le vaste monde ensemble. Petites filles, ados, et maintenant jeunes femmes… Nous avons mangé des glaces danoises dans le port de Rungsted et des escargots de Bourgogne… en Dordogne. Là, nous sommes restées bouche bée en voyant les chauves-souris accrochées au lustre dans la grande salle du château de Joséphine Baker transformé en musée. Nous avons bravé nos premières algues dans la mer Baltique, sur une côte danoise. Nous avons acheté nos premières chaussures de dames à Londres. Nous n'avons été longtemps séparées que deux fois : quand j'ai fait l'Himalaya et, plus tard, quand elle est partie affronter le stress de New York pour son stage. Elle était à peine revenue que le mot « cancer » faisait son entrée dans notre vie. À New York, elle a travaillé au sein d'une petite maison de haute couture spécialisée dans les toilettes de mariage. Je suis allée lui rendre visite fin décembre pour fêter Noël et la Saint-Sylvestre avec elle. Nous avions trouvé bizarre que je quitte la fête du Nouvel An dès une heure trente du matin alors qu'un beau New-Yorkais me faisait des avances. J'étais rentrée au studio d'Annabel avec une carte de visite. Cela avait débouché sur une promenade au MoMA le dimanche matin (veille de mon départ), un déjeuner au restaurant Pastis et un dîner aux chandelles… Je m'étais réveillée quelque part à Manhattan, dans le Lower East Side, très tôt, vers sept heures du mat', et j'avais tout de suite voulu rejoindre Annabel, pour lui éviter de s'inquiéter. Pour moi, l'aventure était terminée. Je m'étais habillée à tâtons dans le noir. À huit heures, j'arrivais devant la porte d'Annabel, quelque part entre la Cinquième et la Sixième Avenue, à deux pas d'Union Square.

Sans Annabel, je ne saurais pas ce que c'est que d'avoir une vraie amie. Une amie qui sent que j'ai le cafard à dix mille kilomètres de distance. Une amie qui lit dans mes pensées. Une amie qui voit immédiatement que j'ai le teint trop pâle. Une amie qui prend le tram 7 avec une orchidée démesurée pour apporter un peu de vie dans cette connerie de chambre d'hôpital.

— Ma belle ! Dis-moi, ma perruque est de travers ?

Annabel m'examine, sourit et corrige ma coiffure.

— Ça t'arrive de penser qu'un jour je ne serai peut-être plus là ?

— Eh bien ! On est d'une humeur charmante aujourd'hui !

Elle s'assied sur une chaise, à côté de mon lit, et sort son nécessaire à manucure.

— Franchement, dis-moi…

— Tu sais, répond-elle en me regardant droit dans les yeux, je fais la forte, comme ça, mais je chiale toutes les nuits dans les bras de Bart.

Bart, c'est son mec.

— Mais tant qu'il y a de l'espoir, reprend-elle, j'essaie de ne pas penser au scénario le plus noir.

— Oh.

Un horrible sentiment de compassion m'envahit, mais ses mots me font un bien fou. La quantité de larmes qu'elle verse sur mon sort montre combien elle m'aime. Elle a toujours été fortiche pour cacher ses sentiments, même à moi.

— Nous avons toujours été inséparables, dis-je.

— Et ça ne changera pas.

— Plus que deux semaines… dur, hein ?

— Avant ton scanner ?

— Oui.

Jeudi 24 mars 2005

Je regarde Stella dans le miroir pendant qu'un homme arrange mes faux tifs. Partout autour de moi, des perruques sur leur support blanc. Annabel les examine une à une avec une concentration sans faille. Je me vois revenue seize ans en arrière, quand nous admirions les framboises, les mûres et les myrtilles à l'étalage de l'épicier avant de les mélanger en catimini.

Ça faisait un certain temps que je me demandais où Samantha allait chercher ses merveilleuses créations. C'est comme ça que j'ai eu l'idée d'entrer dans cette boutique d'accessoires de théâtre. Franken et Kok, les patrons du café où j'ai travaillé comme serveuse, m'ont offert un coffret de DVD de *Sex and the City*. Depuis, Samantha apparaît chaque soir sur mon écran avec une nouvelle tronche, encore plus belle que celle de la veille. Même si ma situation est désespérée, je suis persuadée que je peux y gagner quelque chose. M'offrir la chevelure de mes rêves ! C'est fini, je ne veux plus me cacher sous une perruque qui me donne l'air d'une bobonne ni sous un chapeau qui m'empêche d'embrasser les gens par crainte de les éborgner.

C'est la première fois qu'Annabel voit mon crâne nu. J'ai peur qu'elle ne me reconnaisse pas. J'ai peur de lui faire peur.

En retenant ma respiration, j'ôte ma perruque au ralenti. Annabel sourit et me caresse la peau du crâne.

— Comme c'est doux !

Gloups !

J'essaie plusieurs moumoutes d'affilée, et tout à coup, c'est l'évidence : voici Daisy ! Nous le savons tout de suite, Annabel et moi : Daisy s'impose d'elle-même. Le miroir me renvoie le reflet d'une jeune femme que je ne connais pas, au visage encadré par de belles boucles blondes qui descendent en cascade sur ses épaules. C'est magique de passer mes doigts dans cette épaisse chevelure plus belle que dans mes rêves. Ma physionomie en est métamorphosée. Voici une Sophie polissonne et fantasque ! Annabel m'attache soigneusement un bandeau rose dans les cheveux avant de se replonger dans l'examen des postiches. Elle revient à moi avec une coiffure effrontée aux mèches rousses. Plus tard, je la baptiserai Sue.

Je quitte la boutique avec deux nouvelles coiffures, deux nouveaux looks. Je suis Gémeaux : incapable de choisir !

Peu à peu, je prends goût à ces changements d'identité. Dans mes virées shopping, la boutique d'accessoires de théâtre a détrôné H & M. Je donne un nom à chaque perruque. Car chaque fois que je change de coiffure, je change de personnalité. Je suis quelqu'un d'autre ! Une autre femme ! Je ne suis plus Sophie, mais Stella la bourge coincée, Daisy la Barbie aux belles boucles blondes, Sue l'effrontée au casque roux ou Blondie la jeune femme branchée…

Blondie a de vrais cheveux, c'est de loin la plus chère. Huit cents euros ! Ridicule ! Mais ma frangine m'accueille avec cette phrase magique :

— Je retrouve ma sœur avec son joli minois !

Les hommes préfèrent les blondes, c'est bien connu. On les chouchoute, on les dorlote, on les regarde. Ce n'est pas pour me déplaire.

Samedi 26 mars 2005

Une perruque, c'est beaucoup plus qu'une masse de cheveux. La perruque me métamorphose. Elle change ma tête, bien sûr, mais aussi ma façon d'être une femme. Avec un autre look, j'agis et je réagis différemment. Je suis tour à tour Stella, Sue, Daisy et Blondie. Il me suffit d'enfiler Daisy, et je suis une autre femme. Mes boucles se balancent dans mon dos, mes hauts talons se font aguicheurs, mon jean moulant se transforme en fuseau et mon honnête décolleté fait chavirer tous les regards. C'est pour ça que j'aime tant Daisy. Attention, Daisy entre en scène ! Elle marque la pause, puis fait danser ses boucles d'un air fripon – et tout le monde se demande qui peut bien être cet elfe si féminin.

Quand je suis Daisy, je n'ai pas les mêmes goûts que quand je suis Sue, Stella ou Blondie. Tous les regards convergent vers moi. Je deviens le genre à secouer ma crinière à la volée, à rire à gorge déployée pour un oui ou pour un non, à délaisser les jus de tomate pour les milk-shakes et à mettre du gloss rose sur mes lèvres. Je préfère *Desperate Housewives* à la lecture de Virgile par mon ami Jaap, et il faut absolument que je me peigne les ongles des orteils en rouge. Je rêve d'escapades romantiques avec le docteur K – sauf que ça ne compte pas, parce que c'est un fantasme récurrent, quelle que soit ma perruque.

Quand je suis Sue, j'ai un avantage sur la plupart des autres femmes : ma chevelure rousse et rebelle. Pour me faire remarquer, pas besoin de secouer mes boucles ni de rire pour un rien.

Et pourtant, ces quatre femmes ont quelque chose en commun. Toutes les quatre dissimulent un peu de Sophie. Une Sophie étonnée qui observe la scène depuis l'épaule de chacune d'elles. Une Sophie qui grandit en les imitant. Une Sophie qui se voit changer en vivant dans le corps de chacune d'elles, qui observe la façon dont Daisy, Blondie, Sue et Stella se jouent de tout et qui, par elles et pour elles, voit s'épanouir… une nouvelle Sophie.

Dimanche 27 mars 2005

L'horloge indique seize heures trente. Il fait déjà noir. Après une semaine de perfusion, je suis assise sur le canapé, les jambes repliées, et je ne me suis toujours pas habillée. Je n'ai aucune envie de prendre une douche, puisque je retournerai bientôt me coucher, de toute façon. Aujourd'hui, c'est journée pyjama !

Parfois ça m'étonne que les gens partent du principe que, dès que j'en ai la possibilité, je retire ma perruque. Qu'à peine la porte refermée derrière moi j'ai envie de libérer mon crâne de tous ces tifs qui ne m'appartiennent pas. Eh bien, non, ce n'est pas comme ça que ça se passe ! En fait, j'ai complètement oublié que j'avais sur la tête des cheveux qui ne sont pas ceux que m'a donnés mère nature. Je me suis tellement habituée à mes perruques que je les range maintenant dans un panier à côté de mes bijoux, comme si cela avait toujours été leur place, comme si elles faisaient partie de ma garde-robe. Mieux, de mon apparence.

En kimono, les ongles tout juste vernis de rouge, je suis couchée sur le côté avec mon portable. Je pianote tout en regardant *Bridget Jones*. C'est fou comme je m'y reconnais, malgré mes vingt ans. Juste le bon divertissement pour me faire oublier la pensée qui m'obsède : mon scanner, le 31 mars. Je me lève pour retirer Daisy. Tout en cherchant Sue dans mon panier, je passe ma main droite sur mon crâne. Il n'est peut-être pas beau à voir, mais qu'est-ce qu'il est doux ! Je regarde mon reflet dans le miroir avant d'enfiler Sue. Heureusement, mes joues ont retrouvé leurs proportions habituelles, la méduse a disparu. J'essaie de me trouver belle, mais je n'y arrive pas. J'essaie de trouver une ressemblance entre l'image que me renvoie mon miroir et Sophie, mais ça ne marche pas non plus. Vite, je m'enfonce les tifs de Sue sur la tête et je me réfugie sur le canapé.

Jeudi 31 mars 2005

J'inspire profondément, j'expire profondément. Surtout rester immobile ! J'ai dû ôter mes bijoux, comme la première fois, et même mon soutif, mais j'ai pu garder un pull, à cause du froid. Je suis couchée sur une table étroite qui glisse lentement dans un tunnel de la longueur de la partie supérieure de mon corps. La machine s'intéresse à mon thorax, mon abdomen, ma cage pulmonaire et mon ventre.

Dans l'agenda, huit croix.

31 mars.

La date fatidique.

Je ne bouge pas d'un pouce. Je revis en pensée les deux mois qui viennent de s'écouler. Ils ont duré très longtemps et, en même temps, ils sont passés à une vitesse folle. Quelle différence avec la vie que je menais avant ! Tant de choses ont changé ! La façon dont j'occupe mes journées, mais aussi mon avenir... J'avale ma salive, tout doucement, pour ne pas gêner le travail des radiologues. Le scanner ne doit pas durer longtemps, dix minutes tout au plus. Pourtant, ça fait une demi-heure que je suis là : ils n'ont pas réussi tout de suite à m'injecter le liquide de contraste. Ils disent que j'ai de mauvaises veines, qu'elles sont trop profondes. Mais d'après ce que j'entends autour de moi et d'après ce que je lis, ils disent ça à tout le monde. En clair, ils ne se sont pas suffisamment exercés les uns sur les autres...

Eh ! Apprenez à manier une seringue avant de me cribler de bleus !

Le docteur L promet d'essayer de me communiquer les résultats avant le week-end, pour que je ne reste pas dans l'incertitude pendant deux longues journées. Je ne suis pas certaine que cela me rassure. Je préférerais un week-end d'espoir de plus qu'un week-end de moins.

Dix-huit heures. Le téléphone sonne. Je ne décroche jamais. Je ne supporte pas les manifestations d'intérêt bien intentionnées. Pourtant, je suis juste à côté, cette fois, et j'ai décroché avant de prendre conscience de mon geste. A l'autre bout du fil, une voix aussi espérée que redoutée. Mon souffle s'accélère, puis se coupe totalement, je sue à grosses gouttes. C'est le docteur L.

— Bon, Sophie, je viens de regarder les radios. Ce n'est pas encore le rapport officiel, mais je...

Suit toute une histoire qui ne m'intéresse en aucune manière. Il semble avoir oublié que je suis sa patiente et que je ne partage pas sa passion pour la médecine. Mon univers se réduit peu à peu à ce petit coin de la cuisine où je me tiens maintenant, le combiné du téléphone à la main. Autour de moi, le silence : je n'entends plus un mot de la conversation de ma mère avec la voisine qui est entrée il y a trois minutes avec un bouquet de fleurs, je n'entends plus les bruits de la rue, je n'entends plus rien d'autre que ma respiration saccadée et la voix du docteur L.

— C'est une bonne nouvelle ? dis-je.

— Oui, Sophie, c'est une bonne nouvelle.

Long et profond soupir.

— Vous êtes content, alors ?

— Oui, Sophie, je suis très content.

Hurlements de joie dans la maison Van der Stap.

Lundi 4 avril 2005

Heureusement pour moi, ce ne sont pas les malades du cancer qui manquent, ni les ex-malades du cancer – des gens capables de comprendre mes pensées les plus folles et de parler de leur expérience avec moi. Un partage qui me donne la chair de poule...

Il y a du monde aujourd'hui, dans le centre d'Amsterdam. Au marché du Noordermarkt, des badauds achètent du pain, des champignons, des fleurs ; aux terrasses des cafés, des gens s'installent pour déguster de la tarte aux pommes. Grand soleil et ciel bleu. J'arrive devant le café De Winkel juste avant treize heures. Je porte de larges lunettes de soleil, un bandeau noir et une cascade de boucles blondes. Je scrute les visages des personnes assises en terrasse, à la recherche d'un certain Jurriaan. Pourquoi lui ? Simplement parce que, lui aussi, il a eu un cancer à l'âge de vingt et un ans et que, d'une certaine manière, nous sommes liés. Il a maintenant vingt-six ans. Un jeune homme lit son journal sous une des deux petites marquises.

Je relève mes lunettes de soleil. Mes sourcils et mes cils sont désormais très clairsemés.

— Jurriaan ?

— Non, dit le jeune homme en levant la tête.

— Oh !

Je m'assieds un peu plus loin.

— Sophie ?

Mes yeux plongent dans le regard sombre d'un homme qui pourrait être celui que j'attends.

— Salut ! Je suis Jurriaan ! J'ai l'impression qu'on s'est déjà croisés quelque part. J'ai déjà vu ton visage…

Ses yeux noirs plongent en moi. On se fait la bise. Jurriaan porte un tee-shirt bleu juste assez moulant pour que je puisse remarquer qu'il est bien bâti, de belles Nike et un sac rempli de CD. Il a une tignasse imposante et un visage joliment dessiné. Pour lui, le temps des sourcils clairsemés est manifestement passé, les siens sont broussailleux au possible. Génial ! L'année prochaine, j'en aurai des comme les siens !

Nous commandons deux eaux.

— Dis-moi, Jur [diminutif réservé aux compagnons d'infortune], t'en as vraiment bavé ?

— Ça, tu peux le dire ! La chimio ne marchait pas, et les rayons n'étaient pas assez efficaces pour faire reculer cette saloperie. Pour finir, ça s'est résorbé tout seul.

— Comment ça ?

— Les médecins ne se l'expliquent pas eux-mêmes.

— Ah bon ! Tu crois que ça va vraiment être aussi dur qu'on le dit ?

— Tu vas vraiment devoir t'accrocher, Sophie. Mais comme je te vois, là, j'ai l'impression que tu as déjà trouvé une certaine sérénité, je crois que tu es bien partie. Préserve cette sérénité, ne te laisse pas bouffer par la peur. Accroche-toi aux résultats de ton dernier scanner. Ils étaient bons, non ?

Sous son regard insistant, j'oublie tout ce qui m'entoure. Rien n'existe plus pour moi, rien que les yeux et la voix de Jurriaan. J'acquiesce.

— Tu es forte, je le vois. Tu vas t'en sortir, je te fais confiance !

Deux heures plus tard, Jur [diminutif réservé aux amis] est le premier à se lever. Je le regarde traverser la place du marché désormais presque déserte. Pendant toute la conversation, j'ai senti mon pouls battre très vite, et il ne s'est pas encore calmé. J'ai rencontré mon premier compagnon d'infortune. Et ce n'est pas n'importe qui ! Jan appelle ça « un avantage collatéral »… Quelqu'un à qui parler, et si beau gosse, en plus…

Quand Jur me parle de ses expériences, de ses émotions et de ses angoisses, des frissons me parcourent la peau comme quand mes doigts touchent pour la première fois ceux de l'être aimé ou comme quand

Annabel et moi nous nous faisions un gros câlin à la grande époque. Je suis un peu amoureuse, mais c'est comme ça, avec moi. Simplement parce qu'il connaît le cancer et que, entre nous, un regard suffit. Et parce qu'il est sympa, pas con et franchement mignon. Ce mec-là, c'est de la tarte aux pommes à la crème fraîche. Exactement ce que j'aime déguster avec lui en terrasse !

Mardi 5 avril 2005

Certaines couleurs ne vont pas ensemble, et mon père n'y est pas toujours attentif. Ce matin, il porte une chemise vert grenouille sous un veston vert bouteille.

— Spécialement pour l'occasion ! précise-t-il.

L'occasion, c'est le fait qu'il me conduit à l'hôpital Notre-Dame. En général, ce sont ses trois femmes qui l'habillent, car il en est incapable. Comme la plupart des pères, il n'aime pas le shopping. À vrai dire, il se fiche pas mal de son look. Cela n'a pas toujours été le cas. Quand il était jeune, il se baladait avec une moustache de vingt centimètres de long dont il roulait chaque extrémité et qu'il maintenait en place, la nuit, au moyen de deux pinces à linge. Il n'allait jamais aux boums sans son animal domestique, un alligator empaillé à roulettes qu'il tirait partout en laisse derrière lui. Sa tenue la plus fréquente était un pull rayé, qu'il portait élégamment avec un foulard italien.

Il y a plus de trente ans, mon père a profité d'un héritage pour s'acheter une vieille maison de maître qui s'est rapidement révélée un bon investissement. Pour financer les travaux de rénovation, il s'y est installé avec cinq amis. Chacun a reçu une dalle à son prénom dans l'entrée : Ton (mon père), Raymond, Henk, Mark, Geert-Jan et un deuxième Ton. Loes, ma mère, s'y est ajoutée par la suite, mais c'est la seule qui est restée vivre avec mon père. Jusqu'à la naissance de ma frangine et puis la mienne. Trois chats ont suivi : Corneille, Tigrou et Sally. Corneille a été expédié dans une ferme-refuge pour enfants (fait que les deux filles n'ont jamais accepté, malgré son caractère faux jeton), Tigrou s'est fait écraser devant la maison à l'âge de trois ans, tandis que Sally nous offre toujours son agréable compagnie malgré ses quinze printemps. Même si, je l'ai dit, sa vue baisse et qu'elle n'a plus toute sa tête, comme l'attestent sa dépendance croissante et la multiplication de ses actes inconsidérés – elle n'hésite pas à attaquer les bergers allemands qui passent devant la maison ni à s'en prendre aux amies qui viennent me rendre visite.

Nous nous sommes payé un fameux fou rire, mon père et moi, quand je lui ai dit que j'avais trouvé des poils pubiens sur mon papier-toilette après avoir fait pipi.

— Tu crois qu'ils vendent des moumoutes spéciales ?

— Ou alors ils les offrent à l'achat d'un postiche ?

Si mon père a enfilé son costard vert bouteille, moi, je me suis mis Sue sur la tête et j'ai rangé Blondie dans ma valise, car Bastiaan et les infirmières ne les ont pas vues depuis un certain temps. Daisy et Stella restent à la maison.

Lorsque nous faisons route vers l'hôpital, le silence règne toujours dans la voiture, car tous les quatre, tous les trois ou tous les deux, nous devons revenir en mode cancer et nous rebrancher sur le docteur L, le rhabdomyosarcome, la peur et toutes ces autres misères.

Quand je passe la porte à tambour de l'hôpital Notre-Dame, c'est comme si quelqu'un actionnait un interrupteur dans ma tête. Je n'ai plus qu'une seule pensée : survivre ! Même si j'ai pleuré hier soir, je me sens aimée, et il ne peut rien m'arriver. Mon univers est tout petit et très isolé, mais il est bon et chaud. Cet interrupteur m'aide à traverser mes journées d'hôpital, mais il accroît aussi la distance qui sépare l'univers chaleureux et aimant de la maison et le monde où j'avance maintenant, qui se réduit à un lit blanc prêt à accueillir une jeune fille malade. Il suffit que je pense à ce lit solitaire pour que les larmes me montent aux yeux.

Je suis plantée devant plusieurs rectangles noirs. Le docteur L a accroché les radios de mon scanner sur l'écran de projection. Il a ri quand il m'a vue arriver en rousse et a lâché une blague avant de passer à l'ordre du jour : mon poumon ! Même moi, je le vois : les tumeurs ont rétréci. Le périmètre de mon poumon droit présente un peu moins d'anomalies qu'il y a deux mois, au moment où je venais à peine de commencer la lutte. Alors que la plèvre du poumon gauche décrit un bel arc de cercle que je pourrais dessiner au moyen d'un compas, celle du poumon droit ressemble plus à un écheveau de spaghettis, avec çà et là quelques raviolis. Le plus gros est tout en bas, juste au-dessus du foie. Riri, Fifi et Loulou flottent vers le milieu de la plèvre et il y a encore un petit malin qui se balade tout en haut, profondément dissimulé derrière mon sein droit. Appelons-le Pat Hibulaire. J'ai un rhabdomyosarcome : *rhabdo*, strié, *myo*, muscle, *sarcome*, tumeur maligne. En clair : une tumeur maligne développée aux dépens des fibres musculaires striées. Les cellules cancéreuses se fixent sur les tissus mous. J'ai lu quelque part que le rhabdomyosarcome se logeait de préférence dans les membres, en raison de la présence de tissus conjonctifs dans les bras et dans les jambes. Et qu'il fallait souvent amputer. Tout compte fait, je suis contente que mon sarcome se soit attaqué à mon poumon !

Les médecins distinguent trois stades de développement du rhabdomyosarcome. Le mien est classé dans le deuxième. Ni le plus difficile à traiter ni le plus facile. Ma maladie est si rare que les scientifiques ne disposent pas d'une masse de données sur son origine ni… sur son traitement. La plupart pensent qu'il s'agit d'une malformation embryonnaire innée. Pourquoi elle se déclare alors que j'ai déjà vingt et un ans, mystère et boule de gomme ! Résultat : une absence de consensus sur le diagnostic au sein de l'équipe d'anatomopathologistes qui s'occupent de mon cas.

— Il ne faut pas trop vous braquer sur le nom de votre maladie, commente le docteur L. L'important, c'est que le traitement soit efficace.

Et il l'est.

Mais ça ne suffit pas. Car il ne doit pas seulement neutraliser les cellules cancéreuses, il doit les tuer toutes ! Et d'une façon qui soit supportable pour mon organisme ! Si mes analyses sanguines ne sont pas bonnes, je n'aurai plus droit à la chimio.

Soulagée, je quitte le cabinet du docteur L. Même si je n'ai entendu que de bonnes nouvelles, ce ne sera jamais un endroit où j'irai pour mon plaisir. La tension retombe.

Mon âge rend mon cas encore plus énigmatique et plus délicat, ai-je lu dans mon dossier. Le traitement est destiné à des organismes d'enfants, qui se rétablissent mieux et plus rapidement qu'un corps de jeune adulte. Les médecins luttent autant contre la maladie que pour aider mon organisme à supporter le traitement qui m'est administré. Ils surveillent attentivement toutes mes valeurs sanguines et tentent de les corriger si elles s'écartent des valeurs de référence : transfusions sanguines pour les globules rouges, injections de leucocytes pour les globules blancs et même transfusions de thrombocytes pour mes plaquettes. La mauvaise composition de mon sang se répercute automatiquement sur mon corps : joues pâles, baisse d'énergie, faible résistance, taches bleues dues à un manque de plaquettes… Au scanner, les tumeurs ne sont pas beaucoup plus grandes qu'une tête d'épingle, mais dans mon corps, la plus grosse mesurait à l'origine cinq centimètres sur deux et demi. Elle est aujourd'hui réduite de moitié. La répartition diffuse des cellules cancéreuses et leur fixation sur le poumon et non sur un autre organe rendent toute opération impossible, en tout cas pour le moment. C'est sans doute une option en moins, mais il en reste une autre après la chimio : les rayons.

Mais la chimio est efficace, et les radios ne sont pas les seules à le montrer : peu à peu, je récupère les kilos perdus et je retrouve ma vigueur. La chimio a ceci de vicieux qu'elle rend le patient plus malade que ne le fait le cancer. Dans mon cas, les choses ne se passent pas tout à fait comme ça. Mon organisme commence à s'habituer aux médicaments, il se rétablit toujours un peu mieux après chaque phase de la cure. Le docteur L reste sceptique. Il craint qu'à la fin de l'année je ne sois plus qu'un sac d'os qui joue des castagnettes.

Exception faite de mon manque d'énergie, de ma grande fatigue après une semaine passée à Notre-Dame et de ma calvitie, j'ai l'air de péter la forme. Personne ne remarque quoi que ce soit. Plus la famille rhabdomachin s'amenuise, mieux je me sens. J'ai eu peur, j'ai maigri, j'ai sué et j'ai vomi des seaux entiers, mais mon corps s'habitue petit à petit à toutes ces nouveautés qu'on lui injecte. Il y a de moins en moins de cancer en moi et de plus en plus de Sophie. Je commence à me familiariser avec les effets secondaires de la cure et, si je prends mes antiémétiques à temps, je ne devrais plus gerber. J'ai décidé de voir la chimio comme une amie étrange – et non comme une ennemie – qui m'aide à aller mieux même si elle utilise la manière forte. Je rembarre tous ceux qui disent du mal d'elle. C'est ma maladie, c'est mon combat, c'est ma décision.

Je n'étudie plus à la fac de sciences politiques mais à la bibliothèque du CMU. J'ose enfin affronter l'angoisse de la mort. Un exemplaire de mon dossier me suit partout, même si ça énerve Anne-Marie, l'infirmière que j'ai chargée de faire des photocopies pour moi pendant ses pauses. Je ne croise pas un médecin sans lui poser des questions. Je veux tout lire, je veux tout savoir, je veux tout comprendre ! Y compris mes chances de survie, même si c'est étrange de chercher à lire son avenir dans des statistiques. Le jour où les médecins ont constaté que je n'avais pas de tumeur hépatique, mes chances de survie sont passées de 15 à 70 %. Cela ne veut pas dire grand-chose, ni pour mon médecin ni pour moi, mais quand même… Les résultats de ma première analyse sanguine se sont mués en valeurs de référence, et je les ai toujours avec moi lorsqu'il est question de m'en faire une nouvelle. J'ose à nouveau avancer, reprendre espoir et me secouer. Mieux, j'ai repris goût à la vie ! J'aime la vie, j'aime les océans de temps qui s'ouvrent à moi, j'aime toutes les perruques grâce auxquelles je peux me sentir femme… Je reprends ma vie en main.

Avec une prudence de Sioux, les membres de ma famille essaient d'anticiper mon état émotionnel et physique. La fatigue constante a fait baisser mon seuil de tolérance au niveau de celui d'une vieille tante acariâtre. Ils surveillent leurs intonations et l'expression de leur visage lorsqu'ils me croisent, par peur de froisser la princesse au petit pois. Je n'ai aucune place pour leurs émotions, j'ai bien assez avec les miennes. Je ne supporte pas de les voir se figer ou s'effondrer de chagrin à cause de moi. Pour ces raisons et parce que je ressens de plus en plus le besoin de m'occuper moi-même de mes affaires, je veux tout faire toute seule. Les entretiens avec les médecins, les scanners, les analyses sanguines hebdomadaires, tout, même si c'est un peu stressant. Mon premier scanner est derrière moi et la pile de tee-shirts trempés au pied de mon lit n'est plus qu'un mauvais souvenir. Cette nuit, je me réinstalle dans la petite maison du fond avec Lance Armstrong (qui a remporté sept fois le Tour de France, mais qui a aussi et surtout guéri d'un cancer du testicule métastasé au cerveau et créé une fondation de lutte contre le cancer), à l'écart de la demeure familiale, mais tout près quand même.

Mon père n'est pas le seul à avoir des problèmes avec les couleurs : les décorateurs de Notre-Dame auraient eux aussi des cours à prendre. Les carrés de couleurs primaires qui ornent le service de pneumologie semblent avoir un substrat psychologique. Le contraste des châssis jaunes qui ressortent sur les contours bleus est censé m'apaiser. Eh bien, moi, je dis que c'est lui qui est à l'origine de mon angoisse, à l'époque où j'ai dormi dans le service du docteur K. J'avais accusé la longue aiguille à tort : c'est le jaune et bleu qui me fait cet effet-là ! Au C6, ces stylistes expérimentaux n'ont pas eu voix au chapitre. Les murs sont peints en lilas et en bleu pastel, une combinaison qui évoque pour moi ma salle du cours primaire. Mais peut-être ces couleurs étaient-elles justement utilisées à dessein, à l'époque, pour leurs vertus apaisantes ?

— Surprise ! dis-je à Bastiaan qui s'apprête à me servir son habituel « Salut, tête d'œuf ! », mais que ma chevelure rousse laisse bouche bée.

Je vais au C6 presque comme on va en cure dans une station thermale : pour m'y reposer, pour qu'on soit aux petits soins avec moi et pour en repartir en meilleure forme.

— Nous devons surveiller votre cœur, votre vessie et vos reins, dit Pauke. Vous n'avez aucune douleur nulle part ?

— Une douleur ? Au cœur ? Non, mon seul problème, c'est que je sais retenir mon pipi de moins en moins longtemps. Parfois, je perds quelques gouttes, comme les bobonnes dans les pubs.

Dans ces cas-là, je remplace ma Vania par une Tena.

Bastiaan lâche une vanne et me précède dans ma chambre. J'entame ma troisième semaine d'hôpital. Fini les cocktails habituels à base de vincristine qu'on m'a injectés pendant une petite heure tous les lundis ! Désormais, c'est toutes les trois semaines, soit en traitement de jour, soit en hospitalisation dans le service.

Maintenant que j'en suis à la moitié de mon traitement, on m'installe en salle sans chichi. Jusqu'à présent, mon âge m'avait donné droit à un traitement de faveur. Le service ne compte que quatre chambres particulières, qui sont réservées aux patients qui requièrent un isolement, aux patients en phase terminale et aux cas exceptionnels. Et je suis un cas exceptionnel. Aujourd'hui, malheureusement, il y a foule, et je me retrouve en salle commune.

Coincée entre deux Tatie Danielle, j'échange de temps en temps des regards avec mon vis-à-vis, qui a droit depuis plusieurs jours aux conversations des deux dames. L'âge moyen s'élève à un petit soixante et onze ans. Avec moi, il redescend subitement à cinquante-huit ans et demi.

— Bonjour ! Qui a soif ?

Pas de réponse.

— Pas tous à la fois ! crie la dame qui passe avec le café.

Toujours pas de réponse. Les légumes préfèrent se dessécher. Malgré tout, les tasses de café et de thé commencent à circuler. Une infirmière en profite pour installer ma perf et faire plusieurs laborieuses tentatives de prise de sang. Une nouvelle fois, quelqu'un joue de la serpillière. Ils ont l'obsession de la stérilité, ici.

Maman est assise sur une chaise, à côté de mon lit. Ma chère et fidèle maman ! Il ne se passe pas un jour sans qu'elle se maquille les lèvres. Énergique, présente et intraitable, surtout quand il y va de la santé de ses filles. Elle accorde à peine un regard aux coassistants, et elle mène la vie dure aux assistants :

« Vous en êtes certain ? Le docteur L est au courant ? »

Et, quand une infirmière s'apprête à m'installer une nouvelle perfusion :

« Ne le faites que si vous y parvenez du premier coup ! Sinon, allez chercher votre collègue ! »

Elle protège mon lit comme un chevalier pouvait défendre son roi, ou la louve romaine Romulus et Remus. Parfois, cette cohabitation est difficile. Car rien ne lui échappe : ni mon sourire crispé quand on me pique ni ma mauvaise humeur quand j'ai envie de tout envoyer bouler.

Le toubib passe me voir, lui aussi. De préférence avec ses chers stagiaires, pour pouvoir étaler sa science au déjeuner, en mâchonnant son sandwich au fromage.

— Avec vous, les jours se suivent et ne se ressemblent pas. C'est votre dernière acquisition ?

Quand il aura blagué un peu, il passera à l'ordre du jour.

— Oui, dis-je, toute fière. Celle-ci, c'est Blondie !

Sue est accrochée au pied à intraveineuse, car j'en ai fait mon portemanteau. J'y ai aussi pendu ma robe de chambre et un sac jaune.

Rires parmi la cour de stagiaires. Le docteur L rit aussi. Je continue à amuser mon monde avec mes tours de prestidigitatrice.

Même si nos conversations sont purement médicales, le docteur L et moi entretenons une relation très intime. Moi, en tout cas. Les heures que je partage avec lui sont les plus beaux moments de mon existence. Il est celui qui connaît mes émotions les plus intenses, mes larmes, mes peurs, mes joies. Et mes colères, quand je veux les envoyer au diable, lui, sa chambre de merde et son stylo à la con en bois du Surinam.

Je voudrais savoir ce qu'il met comme garniture dans son sandwich… Je voudrais savoir dans quelle maison il se réveille tous les matins… Je voudrais savoir comment il effectue le trajet jusqu'à l'hôpital… J'ai appris qu'il habite un village dont le nom se termine par un *o* et qu'il prend le train. Je trouve ça étrange. Cet homme a une telle importance pour moi que je l'aurais plutôt imaginé dans une limousine bleu foncé blindée, avec majordome et chauffeur. Et pas en train de beurrer les tartines des enfants, de farfouiller dans ses papiers et de partir en courant pour la gare avec trois minutes de retard.

Quant au docteur K, il n'est présent que dans mes rêves et, de temps à autre, dans le hall de l'hôpital ou à l'entrée de son service, où je passe chaque fois que je vais voir le docteur L. C'est vraiment con qu'après tous ces médecins et tous ces spécialistes je sois finalement tombée sur un oncologue aussi balourd.

Je passe toute la matinée au lit, alors que tout le monde s'affaire autour de moi. Ce n'est que le premier jour, mais j'en ai déjà marre. Je pue, j'ai la tête qui tourne et je râle quand je pense à tous mes projets.

D'avant.

D'aujourd'hui.

D'avant.

Au choix…

Je fronce le nez. Pour avoir confirmation, j'approche mon bras de mon visage pour le reposer aussitôt. Cela fait maintenant deux jours que je suis sous perfusion. Toutes les lotions et toutes les eaux de toilette que j'ai apportées de la maison demeurent impuissantes face à cette abominable odeur de transpiration que provoque la chimio. Ça pue même quand je pisse ! Et j'ai constamment cette odeur dans les narines, étant donné que je me soulage dans un urinal et non aux toilettes. Au début, je passais mon temps à m'enduire de crème exfoliante, mais maintenant, je sais que c'est peine perdue.

Pauke, l'infirmière pour qui les sandales Birkenstock ont manifestement été inventées, vient de me peser, de prendre ma température et de mesurer ma pression artérielle. Elle n'a rien d'un DJ ou d'une petite vendeuse et elle n'est pas jolie, jolie, c'est juste une infirmière qui ne rechigne pas à la tâche. Et je la trouve géniale. Sa silhouette longiligne qui me fait penser à Olive, la femme de Popeye, va et vient efficacement d'un lit à l'autre. Elle veille au grain, sans jamais perdre son joyeux sourire. Même quand elle rate une injection, mais cela n'arrive que les jours où elle a la tête ailleurs – nul n'est parfait.

Je ne me sens pas malade, mais trop patraque tout de même pour marcher dans le couloir. Après plusieurs heures de chimio, les nausées arrivent peu à peu. Pas suffisamment pour me faire vomir, juste assez pour m'ôter l'envie de manger. Pauke m'aide à sortir de mon lit pour changer les draps, ce qu'elle fait chaque jour, sauf si j'arrive à l'en dissuader en tirant une tête de tous les diables. En fait, j'y suis parvenue une seule fois : j'avais parfaitement chronométré un effet « vague de sandwich au thon mayonnaise ».

Un jour, je lui ai demandé si elle pensait à moi quand elle quittait l'hôpital à la fin de sa garde pour retourner vivre sa vie.

— Oui, a-t-elle répondu, mais je vois des figues et des dattes, et pas des cathéters ou des aiguilles stériles.

Voilà : elle songe à de délicieuses figues sucrées et à des dattes douces et onctueuses, pour la simple et bonne raison que j'avais un jour lu à voix haute les valeurs nutritionnelles de ces fruits pendant qu'elle mesurait ma pression artérielle. C'est sa façon de voir le verre de lait à moitié plein plutôt qu'à moitié vide. Et comme pour moi ça veut dire quelque chose, quand je pense à Pauke, je pense aux trois ados qui l'attendent à la maison, au cap Ferrat, dont elle parle si bien, et, donc, à Olive.

Jeudi 7 avril 2005

Mon ami l'échalas ne me quitte pas. Quand les lumières s'éteignent, que je me débarbouille la figure, que je me brosse les dents, que je m'endors et que je rêve au docteur K, il est là. Il est là aussi quand les lumières se rallument, que je me lave à nouveau les dents, que je me redébarbouille la figure, que je mange mon petit déjeuner et que je me réveille. Il est là, fidèle au poste, tout près de moi. Il veille sur moi, sans jamais relâcher son attention.

Mon ami l'échalas sait se taire mais, quand il le faut, il sait aussi se faire entendre. Lorsqu'il flaire le danger, il prend la parole et il n'apprécie pas de prêcher dans le désert. En ces moments où il me rappelle sa présence, je le laisse faire, même si ça m'énerve, parce que je lui fais confiance. Il hurle à réveiller tout le service pour qu'on vienne s'occuper de moi. Je trouve ça très gentil de sa part. Ça me fait du bien.

Certains émettent des plaisanteries douteuses à son égard. Je crois que c'est parce qu'ils n'ont aucune idée de ce qu'il sait faire. Ils se moquent de ses décorations et le comparent à un sapin de Noël à cause de tous ses voyants lumineux. « Grande perche », qu'ils l'appellent. Mais mon ami l'échalas et moi, nous n'y prêtons aucune attention. Sophie et son bon géant en ont vu défiler, des concurrents, mais pas un qui lui arrive à la cheville !

D'autres se moquent de son bip-bip. C'est sa façon de communiquer, et elle ne passe pas inaperçue. Elle fait même des jaloux. Mais de ça aussi, nous nous fichons, car Sophie et son bon géant savent que personne n'a sauvé autant de crânes d'œuf de la Camarde.

Il sait en faire, des choses ! Avec lui, c'est une question de style.

— Préserver le silence, dit-il, c'est comme préserver la vie. La vie qui nous relie, toi et moi. Toi et moi, moi et toi, le bon géant et sa Sophie.

Nous sommes liés par ce liquide qui coule de lui à moi dans un cathéter. Ensemble, nous écoutons la douce musique du tuyau, le poc des bulles d'air et les glouglous de la pompe. Puis nous profitons du silence, jusqu'au moment où mon ami l'échalas entend le danger approcher. Alors, il appelle : « Bip bip ! » Ses cris ne restent jamais sans réponse. Voilà les infirmières qui accourent, qui allument et qui le font taire d'un geste de la main. Heureusement, les lumières s'éteignent toujours, et nous retrouvons notre tête-à-tête silencieux et paisible. Oui, rien que notre silence et un peu de liquide qui coule dans un fin tuyau qui chuinte doucement.

Bientôt, mon père arrive en galopant dans sa chemise vert grenouille et son veston olive assorti, passés spécialement pour l'occasion. Quand toutes les lumières s'éteignent, je me retrouve enfin tout à fait seule. Je regarde *Desperate Housewives* sur le câble. De temps en temps, une infirmière passe la tête pour voir comment ces femmes au foyer se sortent de leurs dilemmes à la con. Puis je cherche des yeux les chiffres lumineux de l'horloge, qui brilleront toute la nuit et qui m'accompagnent depuis que je suis entrée dans le service du docteur K. Chaque jour que je passe à l'hôpital, j'espère qu'il viendra me voir à l'improviste ou qu'il m'enverra une petite carte. La nuit, quand mon sentiment de solitude est le plus aigu, mon corps se languit de ses épaules où je pourrais me blottir en sécurité. À ces moments-là, je suis convaincue que c'est de lui que j'ai besoin, et pas d'un jeune homme insouciant.

Quelque part, dans le couloir, quelqu'un est en train de mourir en grognant, comme un hippopotame qui aurait une rage de dents. Il aurait dû prévenir, j'aurais pu commander des boules Quies. Quelle horreur ! Et moi, est-ce que je beuglerai comme ça ? Est-ce que je puerai comme un putois ? Quel cauchemar ! Sans moi !

Bastiaan m'apporte des boules Quies. Même à trois heures du matin, je suis contente de le voir se faufiler entre les lits. Je suis en train de réchauffer les boules Quies dans mes mains pour les ramollir lorsque j'entends une injonction menaçante dans le couloir :

— Ta gueule !

Aaaargh ! Je suis chez les fous !

Vendredi 8 avril 2005

Ce matin, je suis réveillée par une infirmière chiante qui tient à la main une aiguille qui me semble encore plus emmerdante. Elle porte aussi un récipient avec tous ses instruments. Il n'est même pas huit heures, ma tête est encore collée à l'oreiller, je refuse d'ouvrir les yeux ! Nausée. Mais comme cela n'aurait aucun sens de me révolter, je tends mon bras docilement et je l'observe d'un œil (celui qui est ouvert) pour vérifier qu'elle trouve la veine du premier coup. Pas de chance. À chier, je vous dis !

Le rideau s'ouvre, on m'apporte mon petit déjeuner.

— Bonjour ! s'exclame la dame de service dans le seul but, apparemment, de réveiller ceux qui essayaient encore de dormir.

Comme tous les matins, elle m'apporte une bouteille thermos d'eau bouillante. *Je vais encore faire pipi*, me dis-je en regardant le contenu d'une énième poche de liquide physiologique entrer dans mon corps via un enchevêtrement de tuyaux. Une patiente dans toute sa splendeur, voilà ce que je suis devenue. Parfois, la ronde des dames de service, des infirmières et des médecins m'empêche de fermer les yeux et de faire comme si c'était la nuit, comme si de rien n'était.

Bon, je me lève et je me prépare pour rendre une petite visite à mon hygiéniste dentaire, à l'étage du dessous. Le mien est homo. Pédé. Tantouse. Un peu tout ça à la fois. Et surtout très sympa. Je vais le voir régulièrement, j'ai peur que les médicaments ne provoquent des déchaussements. Pour le moment, tout va bien.

— Vous avez une dentition solide, dit-il. Exactement comme votre mère !

Oui, comme maman. Il se souvient d'elle, c'est lui aussi qui la soignait, l'année passée.

Pour me rendre dans son service, je dois traverser le hall d'entrée et marcher parmi les « gens normaux ». Ceux que j'appelle ainsi souffrent peut-être d'un bobo, mais ils ne sont pas condamnés à puer sur un lit d'hôpital comme moi. Enchaînée à mon pied à intraveineuse, je descends par l'ascenseur, en route vers le rez-de-chaussée. Je m'avance, consciente de mes joues rouges et gonflées et de mon regard anxieux. J'ai peur de détonner. Tous les regards convergent vers cette jeune fille en provenance du service d'oncologie. Ils flottent au-dessus de ma tête ou ils me fixent droit dans les yeux. J'ai laissé mon pyjama et ses pantoufles assorties dans ma chambre et enfilé des vêtements de tous les jours – jean et pull noir à col roulé. Mais j'ai l'impression que certaines personnes reconnaissent mon pied à intraveineuse, soit qu'elles en aient fait elles-mêmes l'expérience, soit qu'elles connaissent quelqu'un qui. En tout cas, c'est ce que je lis dans leur regard. Ils savent que je ne viens pas de n'importe quel service, mais de l'oncologie. Ces confrontations constituent la partie la plus délicate, oui, et même la plus difficile à vivre de la maladie. On vous met le nez sur les faits, sans ménagement. Pour les gens ordinaires, le cancer n'existe pas, alors qu'il fait partie de ma réalité quotidienne. Je me dépêche de retourner dans mon monde solitaire.

Je me sens plus seule que jamais.

Lundi 11 avril 2005

D'après mon agenda, j'entre dans la onzième semaine de l'année et dans la deuxième semaine de la deuxième unité du deuxième semestre de sciences politiques. Durant l'été qui a suivi mon bac, il y a près de quatre ans, je suis partie pour le Tibet. J'ai découvert ce pays entre Hermann Hesse et un grand amour. Le seul moyen que j'aie trouvé de me lancer à sa découverte fut de me joindre à un groupe de retraités qui partaient à l'aventure en voyage organisé… Le trip commençait à Pékin pour se terminer à Katmandou. Je suis ensuite restée deux mois au Népal et trois mois en Inde. C'est à cette époque que j'ai compris que je n'avais pas passé mon bac pour rien et que je me suis fixé l'objectif d'étudier les sciences politiques pour mieux comprendre les injustices qui sévissent dans le monde.

Je suis toujours inscrite. C'est de l'argent jeté par les fenêtres, mais rien qu'à l'idée de quitter la fac, je verse un torrent de larmes. Une année d'études permet de récolter soixante points. En sciences politiques, les études sont réparties en six matières valant chacune dix points, mais d'autres filières ont aussi des matières à cinq points. Au début de ma troisième année, j'ai commencé un module d'économie internationale, comme ça, pour la seule et unique raison que je n'y connaissais rien, et je voulais ensuite étudier la coopération au développement au sein du département des relations internationales. Depuis la fin de mon premier semestre, je n'y suis plus retournée. Et comme je ne flirte pas seulement avec les mecs en terrasse mais également avec les autres disciplines, je me suis aussi inscrite en économie du développement, niveau 2. Comme si le développement de mon cancer ne me donnait pas suffisamment matière à réflexion…

Lors des premiers travaux pratiques, nous définissons le calendrier des deux mois à venir. Tout de suite, il est prévu que je remette un rapport la semaine où je serai terrassée par une cure d'étoposide… J'écoute l'introduction du prof en m'arrachant un cheveu – aujourd'hui, c'est Blondie. J'en ai le tournis, d'être là à écouter tous ces mots en *isme*, alors que je serai peut-être morte d'ici quelques mois. Je suis en train de me demander combien de temps je vais tenir le coup lorsque je me rends compte que je n'ai plus envie de me dépêcher, même si cela peut sembler paradoxal. J'ai envie de prendre mon temps. Je refuse de continuer à me donner des listes de choses à faire. Je déteste ça ! Il n'est plus nécessaire pour moi d'apprendre l'anglais, le français, l'hindi, le mandarin et je ne sais quelle autre langue. Je vis aux Pays-Bas et je parle le néerlandais, point barre ! Et je n'ai plus envie du tout de réfléchir à ma perruque pendant mes TP d'économie du développement, niveau 2.

J'ai déjà fait tant de choses, j'ai déjà tant couru… L'heure est venue pour moi de réfléchir. Et de regarder les choses en face. Ma boule à zéro par exemple, que je continue à cacher.

DEUXIÈME PARTIE

Mardi 12 avril 2005

Tout a changé. Cela se voit à ma nouvelle philosophie comme à mon panier à perruques. N'empêche : certaines choses restent les mêmes. Par exemple, je fais toujours pipi sous la douche. Comme c'est bon de vider une vessie pleine sous le jet d'eau chaude et de se laisser aller, simplement ! J'ai mangé des asperges, hier. Mon premier pipi me le rappelle. Oui, certaines choses sont immuables.

Je n'ai jamais passé la matinée devant le miroir. Je n'ai jamais été du genre à me tartiner pendant des heures. Il faut dire que je n'avais pas non plus la technique pour me lancer dans un maquillage sophistiqué. Un peu de mascara, un rien de blush, et le tour était joué. Le matin, selon moi, c'est fait pour siroter un thé vert dans un café en lisant son journal.

Avril 2005. J'entre dans la catégorie des femmes qui relèguent le naturel au placard ! À moi, poudres, houppes et pinceaux ! Je commence par les sourcils. Je les redessine avec un pinceau qui m'a coûté une fortune : quarante-deux euros ! Je suis venue au monde avec des sourcils foncés et bien fournis, il ne me reste plus aujourd'hui que quelques poils épars. Donc, je joue du pinceau. Les cils qui donnaient de l'intensité à mon regard ont disparu. Mais bon, j'espère que le trait de crayon fait diversion.

Je choisis Sue, parce que, hier, je me suis baladée dans la rue avec Daisy sur la tête. Changer de tignasse et combiner les couleurs, c'est mon truc à moi.

Nous sommes dans Gravenstraat, en plein centre d'Amsterdam. Rob, Jochem et Jan dévorent leur steak et je leur en pique des morceaux. Depuis que j'ai un cancer, Jan et moi, nous avons le même rythme. Même s'il se lève bien plus tôt, nous mangeons ensemble. Il déjeune, je brunche. Nous nous quittons après avoir fait la tournée des boutiques dans Haarlemmerstraat et sur la place du Boerenmarkt. Entre deux émissions de télé – il est présentateur vedette –, il goûte les plaisirs homos et savoure la solitude, quand il ne disparaît pas dans sa chambre pour écrire. Moi, depuis quelques jours, je fais exactement la même chose. Les histoires viennent en flot continu. J'ai envie de tout noter.

Rob a aussi le même rythme, du moins quand il n'est pas appelé sur un tournage dans les polders – il est cameraman.

Jochem est celui de la bande qui a le moins bien réussi. À vrai dire, il est passé maître dans l'art d'être très occupé sans avoir rien à faire. À l'écouter, il mènerait une vie plus stressante que mon toubib. Il est toujours à penser à ce qu'il ferait s'il était ailleurs. Ça fait un bail qu'on se connaît, lui et moi. Jusqu'à il y a un an, nous nous parlions tous les jours. Nous avons réduit le rythme à une fois par semaine, mais nous continuons à nous faire des câlins épisodiquement.

Je passe de plus en plus de temps avec ces trois-là et j'apprécie de plus en plus mon statut de malade. Je bois des tisanes toute la journée et, en plus, on me les offre !

Jan nous confie qu'il a couché par écrit nos errances dans le quartier à cette époque où, hagards et abattus, nous venions d'apprendre la terrible nouvelle. Deux jours plus tard, nous nous étions réunis à l'Harkema, une brasserie sur le Ncs, au cœur d'Amsterdam. Jan, Rob et Jochem, rejoints par Franken et Kok, avaient annulé leurs activités de la journée et s'étaient fixé rendez-vous au centre de fitness de l'hôtel Barbizon. Entre les bouteilles de vin, les frites et les cigarettes, nous avions commencé à nous marrer. Et lorsque Jochem et Franken s'étaient lancés dans une imitation de Rob et de Kok, j'avais pleuré un nouveau torrent de larmes.

C'est bon de se dire que, à ce moment-là, nous étions tous unis dans le désarroi et que je n'étais pas seule, même si j'en ai parfois l'impression. C'est peut-être pour ça que nous nous amusons tellement ensemble. Nous ressentons les mêmes émotions, la même impuissance, la même tristesse. Dire que c'est quelque chose que je comprends seulement maintenant !

Les moments que nous passons ensemble font de moi un être différent. Une jeune femme qui est là où elle est, et pas là où elle n'est pas. Je suis étonnée de voir que je suis prête à renoncer à ma soif de tout voir et de tout découvrir, sans pour autant renoncer à la découverte. Je n'ose plus me projeter au loin, ni penser à des idées de stages pour étoffer mon CV.

Je savoure l'instant présent. Je savoure mes petits déjeuners, je savoure mes cafés, mes cocktails et mes verres de vin, mes après-midi au soleil ou à l'abri de la pluie, je savoure le soleil à la tombée du jour, je savoure les intempéries. Je savoure, je savoure, je savoure. Mon agenda, autrefois surbooké, ne compte plus que des pages blanches que je remplis de petits bonheurs. J'ai trouvé la sérénité. Je ne veux plus jamais la perdre.

Rob rompt le fil de mes pensées :

— Ma chérie, tes cheveux sont géniaux ! Tu es magnifique !

Mon visage se fend d'un sourire d'une oreille à l'autre. Entre Rob et moi, c'est de l'amitié, pas de l'amour, mais, dès le premier jour, nous avons été fous l'un de l'autre. Je le trouve beau. Dans la rue, je lui prends toujours la main. Avec Rob, que Jan soit là ou pas, c'est cris et fous rires garantis toute la journée. Nous sommes même jaloux quand nous voyons l'autre flirter en terrasse. Oui, bon, c'est vrai, nous sommes peut-être un tout petit peu amoureux…

Aujourd'hui, je suis Sue. Je me sens toute différente d'hier, où j'étais Daisy. Mes cheveux roux déclenchent des réactions différentes, mais ce n'est pas seulement ça : moi aussi, je me sens une autre femme ! Un rien plus têtue, et donc peut-être aussi plus sûre de moi. Les gens me trouvent débordante d'énergie. Ça déteint sur moi. Et ça donne aux hommes assis au bar l'impression de découvrir une nouvelle tête.

— Alors, tu ne t'es pas encore fait couper ta coiffure de sauvage ?

Je joue le jeu, je m'ébroue. Jan et Jochem sourient, Rob observe le tableau, impassible. Même si, en blonde, je me trouve plus sexy et qu'on me regarde davantage, je suis contente de voir que je fais sensation en rousse. Mais que dirait cet homme s'il me voyait avec la boule à zéro ? Il ne me trouverait plus ni sensuelle, ni débordante d'énergie, ni féminine. Il dirait simplement que je suis… chauve.

Tant de choses ont changé dans ma vie ! Tant de choses ont changé en moi ! Le miroir me renvoie l'image d'une inconnue. Je ne me reconnais pas. Tant de choses séparent celle que j'étais de celle que je suis devenue ! Mais ça m'aide, d'avoir toutes ces têtes différentes. Ça m'aide à me regarder *vraiment*. Bon, voilà : je suis moi comme ci, comme ça, et encore comme ça. Et là, c'est moi. En vrai.

Vendredi 15 avril 2005

— Sophie !

Je suis devant la porte et je m'apprête à sonner.

Un sac de courses bleu et blanc à la main, Hildus s'approche et m'examine de la tête aux pieds.

— Mais oui, c'est toi ! Tu as changé de coiffure ?

Apparemment, il ne sait rien. Je décide de tenter le tout pour le tout :

— Oui, dis-je avec un faible sourire.

C'est incroyable comme je me sens peu sûre de moi ! Hildus n'a pas l'air content. Il examine mes cheveux. Je les trouve tout à coup aussi souples et naturels que ceux de la reine Beatrix.

J'ai rendez-vous ! Avec un mec qui n'est au courant de rien ! Ça doit être terrible de sortir avec une cancéreuse ! La dernière fois que j'ai flirté et fait l'amour, c'était à New York, la nuit de la Saint-Sylvestre. Depuis que j'ai appris que j'étais malade, j'ai fait une croix sur les hommes, les hommes ont fait une croix sur moi.

Hildus ne sait rien. Notre dernière rencontre date du mois de décembre, avant que je n'aille voir Annabel à New York. Depuis, plus rien. C'était au Club NL, dans la Nieuwezijdsvoorburgwal. Nous avions un peu flirté et nous avions promis de nous appeler. Nous ne l'avons jamais fait.

À cette même fête, j'avais croisé mon ex, dont je n'ai d'ailleurs plus de nouvelles depuis deux mois. Quand je pense à une relation fixe, c'est lui que je vois. Nous sommes restés un an ensemble. Toute une année pendant laquelle nous avons été inséparables. Le matin, nous allions faire notre jogging dans le parc Vondel ou dans le bois d'Amsterdam, puis nous allions petit-déjeuner, envoyer des messages et, si nous avions le temps, boire un café chez Brandmeesters. Il travaillait dans une galerie d'art. Son boulot commençait à dix heures et demie et moi je devais être à onze heures à la fac. Cette petite demi-heure me laissait juste le temps d'arriver à mon premier TP. Il m'a accompagnée en Inde, et je devais aller avec lui dans le midi de la France. Avant de me connaître, il avait eu un premier grand amour, mais la fille était morte d'un cancer. Gloups. C'est peut-être parce que nous venions de milieux très différents que ça collait bien entre nous, mais ce fut aussi source de malentendus et de disputes. Nous avons continué malgré tout, jusqu'à ce qu'il arrive à la conclusion que nous étions trop éloignés l'un de l'autre. Et qu'il rompe. J'avais vingt ans. Lui, trente.

Depuis que c'est terminé, nous n'avons plus eu aucun contact. Mais maintenant que j'ai un cancer, j'attends quelque chose de la vie. Une carte, même un texto, ferait l'affaire. Je veux lui dire que je vais bien. Que je continue à manger, à rire et à faire du vélo quand le temps le permet. Et que je continue à draguer, comme les gens normaux.

— Franchement, on dirait que tu as mis une perruque, coiffée comme ça !

Bingo ! Les larmes me montent aux yeux. J'ai une grosse boule dans la gorge.

« On dirait que tu as mis une perruque » !!! Monsieur n'aime pas mon nouveau look. Aaargh !!!!! Ça fait trois jours que je m'échine à la coiffer, cette perruque ! Et j'ai choisi Blondie parce que c'est celle qui me ressemble le plus !

« On dirait que tu as mis une perruque » !!!

J'essaie de cacher mon malaise en riant.

Quelques minutes plus tard, plus consciente que jamais d'avoir un déguisement sur la tête, je me tortille sur le canapé. Oh, comme je suis mal à l'aise ! Je n'ai plus en face de moi l'homme d'affaires à qui tout réussit, mais un mec qui partage son temps entre le surf, le fun et l'écriture. Rien que des choses intéressantes. Pour l'occasion, j'ai fixé Blondie avec un ruban adhésif spécial – reçu gratuitement quand j'ai déboursé les huit cents euros que m'a coûté cette beauté. Non, je ne dois pas me faire de souci : je ne vais pas la perdre. Par contre, je crains que la cire spéciale – *idem* – ne se mette à couler et à dévoiler le pot aux roses. Quelle idée, aussi, de filer un rancard quand je n'ai qu'une triple idée en tête : je suis malade, je suis différente, je suis seule au monde !

— Un verre de vin ?

— Je préférerais un jus de tomate avec du citron, ce serait génial.

Hildus habite le long d'un canal, avec vue sur la très animée Leidsestraat. Je suis cernée par ses plantes – il les adore –, j'ai même des feuilles dans les cheveux.

C'est génial, ça donne l'impression d'être au printemps, en pleine nature…

Je le rejoins dans la cuisine. Les légumes ne sont même pas encore dans la poêle.

— Il faut d'abord qu'on parle, dis-je.

Ah ! Génial, Sophie. Quelle audace !

Il sort deux saucisses de Francfort végétariennes de leur emballage en me faisant l'éloge de la nature et du végétarisme.

— Est-ce que tu réfléchis parfois à ce que tu manges ? Au traitement qu'on réserve aux animaux ?

L'emballage porte le logo de la chaîne de supermarchés Albert Hein.

Je vais me rasseoir sur le canapé, dans le salon. Hildus vient s'installer à côté de moi, avec les deux assiettes.

— Tu as du ketchup ?

J'adore manger sain, j'adore manger naturel, mais les saucisses végétariennes, je n'ai jamais compris la logique ! Ça n'a aucun goût !

Hildus revient avec la bouteille de ketchup. Cette fois, il s'assied tout près de moi et essaie de m'embrasser.

Est-ce que j'en ai envie ? D'abord, ravie d'apprendre que je suis toujours dans la course ! Ravie aussi de voir que les rares cils qui me restent et mes faux sourcils ne font pas de moi une mocheté ! Et, enfin, ravie de constater que mon crayon pour les yeux fait des miracles !

Je recule de cinquante centimètres sur le canapé poussiéreux. Hildus aime le soja, et cela se sent, malheureusement, lorsque ses lèvres finissent quand même par toucher les miennes. Impossible de m'échapper. Hélas, Hildus aime caresser les cheveux, et mon postiche ne résistera pas à sa fougue. Je m'échappe juste avant que les choses ne dérapent – et que Sophie la blonde ne se transforme en Sophie la chauve.

Hildus est stupéfait.

Moi aussi.

— Je crois qu'il faut que je te parle.

Il reste muet.

— Je suis malade. J'ai un cancer. Tu as raison, c'est une perruque. J'ai la boule à zéro.

Hildus est muet comme une carpe. Mais il n'a pas l'air choqué.

J'attends un peu. Je lui laisse le temps de trouver quelque chose à dire.

Rien.

— C'est pour ça que je me sens mal à l'aise. Mais quel silence ! Tu es choqué ?

— Non, non. Oui, évidemment, c'est dur, mais je m'en fiche. Enfin, ça ne change rien pour moi : j'ai toujours très, très envie de t'embrasser !

— Ah ! Et ma perruque, alors ? Et ma boule à zéro ? Tu sais, je vais peut-être mourir !

— Oui, mais bon… Tu es toujours Sophie !

Là, c'est moi qui accuse le coup en silence.

Je souris.

C'est exactement ce que je voulais entendre. Je lui offre un baiser reconnaissant et fougueux.

Je me dispose à partir.

— Tu ne restes pas dormir avec moi ?

— Non.

— Pourquoi ?

— Parce que je n'ai plus un seul cheveu sur le crâne. Et que ma perruque ne résiste pas aux mouvements violents. Je n'ai pas non plus envie de t'imposer tout ce que le cancer me fait, à l'extérieur comme à l'intérieur. Je préfère pieuter avec Sally.

— C'est qui, ça, Sally ?

— Mon chat !

— Viens t'allonger un peu contre moi…

— Non. Je ne peux pas et je ne veux pas. Mais merci pour cette soirée…

Je l'embrasse une dernière fois avant de m'en aller. Lorsque je referme la porte derrière moi, un sourire illumine mon visage. Je peux encore séduire ! Je peux encore éveiller le désir d'un homme ! On continue à me siffler dans la rue ! Je compte encore ! Et c'est bon, en même temps, de comprendre subitement que les histoires de cul n'ont plus aucune importance. Je suis malade, mais je ne suis pas différente. Et je ne suis pas seule au monde.

Jeudi 19 mai 2005

Comme je me sens comprise par Lance ! Et comme je le comprends ! Cela crée des liens. Chaque fois que j'enfourche mon *mountain bike* pour traverser la ville, je repense à son histoire. C'est comme s'il me guidait. Irrésistiblement. Personne ne pourrait soupçonner que je souffre d'une maladie mortelle. Sauf quand le vent se lève et que ma main droite doit maintenir en place et ma perruque et ma jupe. Je n'ai jamais été forte pour ce genre d'acrobatie. Blondie a déjà failli tomber dans les flots de l'Amstel quand je franchissais un pont et s'envoler sur le Dam quand je traversais la place en diagonale. Ah, pourquoi ne me suis-je pas davantage entraînée quand j'étais gamine ?

Aujourd'hui, je suis de nouveau clouée dans mon lit d'hôpital, solitaire et patraque. Je suis dans ma seizième semaine et je viens d'entamer ma quatrième semaine d'hospitalisation au C6. C'est dur, vraiment dur, surtout quand je pense que j'en ai encore pour un peu plus de deux mois. Mais après, la chimio et moi, ce sera fini pour toujours ! Fini pour toujours ! Je n'ose y croire... À la fin juillet, les vingt-sept premières semaines seront derrière moi. Mon traitement pourra se poursuivre en ambulatoire. J'arriverai et je repartirai le même jour : quel confort !

Le soleil brille. Même à l'hôpital Notre-Dame. Je suis gaie comme un pinson. En plus du livre de Lance Armstrong, j'ai apporté de la maison un Primo Levi et *Le Bonheur de la femme au foyer*, d'Heleen van Royen.

— Pour changer, dis-je à mon médecin en voyant son regard étonné.

Quand j'ouvre le Primo Levi, il en tombe un poème. C'est *Ithaque*, de Constantin Cavafy. Au verso, une lettre de Jaap, l'ami que je me suis fait en sciences politiques.

Chère Sophie,

Je t'envoie un poème de Cavafy, « Ithaque ».

Lis-le quand la peur te prend ou quand tu broies du noir. Je ne sais pas s'il te fera sourire, mais ce n'est pas non plus le but.

Il t'invite à apprécier la vie. Ta vie d'avant, ta vie d'aujourd'hui et ce que tu en feras demain.

En le lisant, pense à la Grèce antique, patrie d'Homère et de Socrate, pays où la sagesse et l'acceptation de son sort semblaient aller de pair.

Et pense à l'origine de ton nom. Les sophistes ont été les premiers à réfléchir à ce qu'ils devaient faire de leur vie.

Suis leur exemple, c'est tout ce que je te souhaite !

Je t'embrasse,

Jaap

Pourquoi n'ont-ils pas de sophistes ni de philosophes ici ? Jaap passerait la journée à me lire Virgile, Primo Levi, Spinoza et Rousseau… Ces penseurs ne me rendraient pas forcément meilleure, mais ils m'aideraient à passer le temps. Pourquoi ai-je dû perdre le docteur K pour le docteur L ? Pourquoi ma vie est-elle remplie de visites à l'hôpital au point que j'en suis réduite à fantasmer sur un toubib ?

Enchaînée à mon pied à intraveineuse, j'assiste au ballet des blouses blanches : infirmières, coassistants, assistants, chefs de salle et, au top du top, mon médecin. Du fond de mon lit, je m'amuse. Je sais maintenant repérer ceux qui ont déjà sauvé de nombreuses vies humaines et ceux qui viennent de sortir le nez de leurs livres. Et j'écoute les conversations des infirmières… Je suis au courant de tout ce qui se passe.

— C'était comment ce week-end ? T'as travaillé ?

— Oui, mais pas ici. Au Paradiso !

Esther est infirmière en semaine, DJ le samedi et le dimanche.

— Ah ! Il y avait de beaux mecs ?

— Tu te souviens de Gerard ? Tu sais, le type de l'année passée ! Celui qui avait un séminome [cancer des testicules]… Il dansait juste devant moi. Le mec, je te dis pas ! Beau comme un dieu !

— Waouh !

92

Tant mieux. Dans une semaine, moi aussi j'irai m'éclater sur la piste de danse. Mais d'abord j'ai rendez-vous, les yeux fermés, avec le docteur K… Il vient de m'enlever dans le noir pour une partie de jambes en l'air acrobatique. Chacun sa technique de survie.

Des histoires, j'en invente aussi pour ceux qui viennent me rendre visite. C'est qu'ils font une croix sur leur heure de midi en plein soleil pour être fidèles au poste, au pied de mon lit.

— Oh là, il pleut ? dis-je sur mon ton le plus enjoué.

Ce qui est con, c'est quand je n'ai rien d'autre à ajouter. Je me souviens encore des innombrables visites que je rendais à ma tante qui a passé une si grande partie de sa vie à l'hôpital. Je me vois encore, coincée dans sa chambre avec toute la famille, à participer à une conversation insipide sans être vraiment là. Dans ces cas-là, c'est encore celui qui trône dans son lit qui se sent le plus à l'aise…

Maintenant, c'est mon tour. Alors, j'ai fait le choix de n'autoriser qu'un petit groupe de fidèles à venir me voir. Je n'ai pas envie que des gens défilent dans ma chambre pour le simple plaisir de tuer le temps. Non, j'accepte seulement la famille, les amis proches et les gens animés de bonnes intentions. Je n'ai pas besoin de raclements de gorge et d'yeux fuyants. Je préfère encore être seule avec Lance Armstrong, qui avait lui aussi la même philosophie. Mon Lance Armstrong chéri… Pour passer le temps, il vomissait des seaux entiers. Je préfère écrire, faire des sudokus et jouer au docteur avec le stéthoscope de K…

Lance est remonté sur son vélo et a remporté le Tour de France. Moi, je marche jusqu'au bout du couloir et je pousse même un peu plus loin. Je ne suis pas coureur cycliste, mais ça ne m'empêche pas d'aller de l'avant. Comme Lance ! Mon exemple, mon idole, mon ami...

Je n'ai pas besoin de rencontrer d'autres cancéreux. Ce n'est pas mon genre d'aller m'entasser avec d'autres boules à zéro dans une pièce bondée ou de passer un week-end de revalidation avec une légion de perruques dans un château d'Amersfoort. Non, je préfère de loin lire le bouquin de Lance confortablement installée dans mon lit.

Pourtant, j'ai surfé sur plusieurs sites consacrés au cancer, surtout chez les jeunes. On est souvent mieux seul, quand on a un cancer. Les gens continuent à s'intéresser à des choses que moi aussi je trouvais super-importantes il y a peu. Voilà maintenant que je suis coincée dans ce lit, à renoncer à satisfaire des besoins qui deviennent subitement secondaires et à tenter de survivre un tout petit peu...

Vendredi 20 mai 2005

— Te voilà encore, toi ? Qu'est-ce que tu veux ? Tu viens encore embêter le docteur L avec toutes tes questions ? Et qui est avec toi ? C'est ton mari ? demande Annemarie en souriant derrière son bureau.

Je me retourne. Je suis suivie par un patient du C6, grisonnant, ridé et qui n'en a manifestement plus pour longtemps. Elle est sympa, cette Annemarie !

Un jour, j'ai demandé au docteur L si c'était grave si je ne me baladais pas en tenue de prisonnier comme les autres pensionnaires du C6, malgré mon pronostic incertain. Heureusement, il m'a donné sa bénédiction.

Je vais souvent papoter avec Annemarie et Ploni, des infirmières qui me font toujours rire. J'avais envie d'aller les saluer avec mon ami l'échalas, histoire de faire passer l'ennui de ma quatrième semaine d'hôpital. Quand Annemarie me raconte une de ses aventures, comme la fois où elle est tombée à la renverse avec son appareil photo dans la fontaine de l'Alhambra à Grenade, j'oublie que je suis à l'hôpital.

Pour rentrer au C6, je dois passer devant la chapelle. Je décide d'aller faire un petit coucou à mon copain Jésus. Il est toujours là. Je lui rends régulièrement visite, désormais. Pas par calcul, parce qu'il serait dans mon intérêt de me lier d'amitié avec Dieu juste avant de clamser, mais simplement pour échapper à l'ennui.

Jésus me regarde du haut de la chapelle blanche. Avançant sur la pointe des pieds pour ne pas rompre le silence, je vais allumer un cierge pour le bien-être général. Et un deuxième pour me porter chance, mais au nom de mon ami l'échalas, car le regard noir de Jésus semble me dire qu'il n'est pas bon de faire brûler un cierge pour son propre salut. Puis je prends place sur un des bancs de la chapelle, qui sont d'un blanc immaculé, évidemment, comme tout dans cet hôpital. Histoire de m'asseoir un petit peu. Car prier, quand on est athée, agnostique ou les deux, ce serait n'importe quoi. Je me contente de fixer un point devant moi. Peu à peu, je me mets à penser à des choses belles.

Je suis brutalement ramenée à la réalité par mon compagnon : « Bip bip ! » J'obtempère et je me branche à la première prise que je trouve dans le couloir. Je commande ma pompe adroitement, et je reste là, immobile et silencieuse.

Lorsque j'ai suffisamment rechargé mes accus, je m'offre une promenade jusqu'à l'espace de culte réservé aux musulmans. Je me couvre la tête de ma veste et je m'assieds par terre, les fesses sur les talons. Peut-être vais-je trouver l'inspiration ici aussi. Quand je dois de nouveau faire le plein d'énergie et que ma nouvelle occupation ne parvient pas à prendre le dessus sur l'ennui, je quitte lentement la pièce silencieuse, comme une disciple suivrait son maître, et je me dirige vers les portes de l'ascenseur.

Vers le bout du couloir.

Mon couloir.

Vers la lumière.

Ma lumière.

Arrivée là, je m'offre un aller simple pour le ciel. Ou est-ce simplement le voyage retour ? C'est ce que semble dire mon ami l'échalas. L'ascenseur s'arrête au deuxième étage. Les portes s'ouvrent lentement. À mon grand plaisir apparaît alors ma blouse blanche préférée. Dedans, le docteur K. Il m'adresse un sourire amical, voire un rien malicieux, et se poste juste derrière moi, alors que nous ne partageons l'ascenseur qu'avec deux infirmières et qu'il y a la place pour y mettre deux lits à roulettes. J'entends les deux femmes parler de la petite fête qu'organise le personnel le week-end prochain. Je me demande si j'y rencontrerais le docteur K en civil. Ce serait dommage : il est certainement beaucoup plus beau avec sa blouse blanche.

Je sens son souffle sur ma nuque. Je transpire légèrement : dans le dos, sous les bras, entre les doigts. Les suées nocturnes ont disparu, mais pas la transpiration. Il y a trois mois, c'était à cause du cancer. Ici, maintenant, c'est parce que je suis toujours amoureuse du docteur K. Et qu'il est là, juste derrière moi.

Nouvel arrêt de l'ascenseur. Troisième étage. Les infirmières sortent en jacassant. Je commence à bien connaître l'itinéraire, depuis le temps que j'arpente l'hôpital pour retourner au C6 et, avant, à mon ancien service, l'A8. Il y a d'abord la cardiologie, la néonatalogie, la chirurgie, ensuite vient l'arrêt obligatoire en oncologie, puis la neurologie et, enfin, le service pneumochirurgie-orthopédie, autrement dit celui du docteur K.

Les infirmières disparaissent de mon champ de vision. Mon ventre se serre. Il me reste trois étages, et le docteur K en a encore cinq à parcourir. Avec un peu de chance, l'ascenseur va garder ce rythme, ce qui me laisse quatre minutes. Quatre minutes seule avec le docteur K, en tête à tête ! Je sens toujours son souffle sur ma nuque, mais aussi le long de mes oreilles et de mon cou. J'ai la chair de poule. Je brûle. Je suis passée par bien des phases difficiles, mais je nage maintenant en pleine félicité.

Il brise le rythme de nos respirations en s'informant de l'état de mon corps et plus particulièrement de celui de mon poumon.

— Vous nous avez fait bien peur, vous savez !

Je lui souris timidement.

— Le cancérologue qui s'occupe de moi est un être sinistre et borné.

— Vous êtes entre de bonnes mains avec le docteur L, dit-il en souriant prudemment. Et je vous suis !

— Et si vous veniez me rendre visite de temps en temps ?

L'ascenseur ralentit peu à peu. Le docteur K fait oui de la tête et m'embrasse gentiment sur la joue. Ce beau voyage me fait traverser des contrées bien étranges… Nous continuons à monter. J'approche de plus en plus de ma destination.

Ping !

Les portes s'ouvrent. Je sors de mon rêve éveillé. Je reprends contact avec le mortel ennui de la réalité. Ce mortel ennui qui m'a conduite à l'architecture blanche de la chapelle et à l'espace de prière des musulmans. Ce mortel ennui qui m'a fait partir à la recherche du silence et qui m'en a fait profiter. Ce mortel ennui qui m'invite à rêver…

Les portes s'ouvrent : SIXIÈME ÉTAGE, ONCOLOGIE. Je suis de retour dans mon univers : le service des boules à zéro et des corps décharnés. Les joues en feu, je laisse le docteur K derrière moi.

Samedi 21 mai 2005

Le soleil brille. Autour de Notre-Dame aussi. Je n'ai pas besoin d'ouvrir les yeux, les rayons du soleil transpercent mes paupières closes. Ma semaine d'hôpital est terminée. Je veux sortir ! J'ouvre les yeux, je regarde l'horloge de mon téléphone, qui a dormi avec moi dans mon lit : midi et demi.

— Debout ! crie le monde en couleur, de l'autre côté de la fenêtre.

J'adore être réveillée par la caresse du soleil sur ma peau ou par le tintinnabulement de la pluie. Fini les sonneries des réveille-matin ! Je veux prendre le temps. Fini les listes, les obligations, les rendez-vous ! Le vide… Le néant… La paix… Le luxe… Le plaisir et le cancer vont formidablement bien ensemble.

Sous la douche, je me savonne entièrement. Sans me presser. J'examine les silhouettes féminines qui ornent le rideau. Elles sont innombrables, et toutes magnifiques, avec des nichons et des tétons différents.

Je cherche mes seins : petits, ronds, avec des mamelons plats, du moins quand je ne suis pas sous la douche. Je les trouve chez une fille aux longues boucles qui lève les bras au ciel tout en baissant le menton sur la poitrine. Je coupe l'eau chaude et je reste sous l'eau froide en comptant jusqu'à cinq. Pour stimuler la circulation.

Me sécher, me maquiller, choisir Daisy... Je lève les bras au ciel, je baisse la tête en regardant vers ma hanche droite. Coup d'œil au miroir. Oui, c'est la fille du rideau de douche. Aujourd'hui, je suis Daisy !

Treize heures trente : il est temps de bruncher. Je me prépare un œuf sur le plat. Je regarde le blanc blanchir et le jaune jaunir. Le temps où je faisais trente-six choses à la fois est révolu. Ma convalescence commence.

Quand j'ai fini mon œuf, je cherche le numéro de Rob dans la mémoire de mon téléphone. Ça ne répond pas. Il doit certainement être en train de filmer des nuages avec Monsieur Météo. Annabel est là. Nous convenons de nous retrouver dans une heure au Finch, un café du Noordermarkt.

Cela me donne juste le temps d'arranger mes cheveux, d'envoyer un mail au docteur L pour l'informer de l'évolution de mes élancements et de mes fourmillements – depuis que je suis en traitement, je ne parviens pas à faire la différence entre l'action du cancer et celle de la chimio sur mon organisme – et de réfléchir à la façon de protéger mes bras, mes jambes et mes joues du soleil. Je ne veux pas bronzer, car cela pourrait provoquer des taches de pigmentation et elles ne font pas bon ménage avec la chimio.

Entre deux solariums de Haarlemmerstraat, je tombe nez à nez avec Michelle. Nous parlons cancer et bronzage. Elle vient d'être opérée d'un cancer du sein. Elle est donc au courant. Chez elle, on ne voit pas grand-chose. Il faut dire qu'elle a toujours eu d'énormes lolos. Pour moi, elle est Anita. Pour elle, je suis Daisy. Avec mes longues boucles blondes, pas de doute : j'ai vraiment le contact plus facile.

Elle est adorable, pensons-nous chacune.

Saloperie de maladie de merde qui nous empêche de bronzer ! ajoutons-nous aussitôt.

En quittant Anita, il me revient à la mémoire une conversation d'il y a plusieurs mois, juste avant le déclenchement de cet enfer. Un ami m'avait dit que j'aimais tout le monde. Cela m'a marquée. Je ne sais toujours pas vraiment quoi en penser. Dans cette affirmation, il y a du positif et du négatif, et j'ai du mal à faire le tri.

Je trouve tout beau, c'est vrai. Enfin, presque tout. J'aime les gars en tee-shirt froissé avec une barbe de trois jours. J'aime les mecs en chemise Armani impeccable avec *loafers* assortis et sourire Ultrabright. J'aime les hommes qui sont de toutes les virées en ville. J'aime les casaniers. J'aime les étudiants poussiéreux, les cosmopolites trendy, les bellâtres qui reviennent de la Côte d'Azur. J'aime les philosophes qui exposent leurs idées en expirant la fumée de leur cigarette, j'aime les sportifs au crâne vide. J'aime le docteur K. J'aime Liam Neeson en tee-shirt moulant, mais aussi dans le rôle d'Oskar Schindler. J'aime les hommes comme ci, j'aime les hommes comme ça.

Maintenant que j'ai un cancer, je me sens libre de tout détester. De donner des coups de pied partout, d'injurier le monde entier, de tirer sur tout ce qui bouge. Le cancer et mes vingt et un ans. La vie n'est plus mon amie, c'est mon ennemie ! La chose que je déteste le plus au monde ! La chose qui me rend pessimiste.

Et le cancer, oui, le cancer est devenu mon ami. Il met ma vie sous le signe de l'intensité : les émotions, les impressions, les expériences, je vis tout au centuple ! Être debout sur mes deux jambes, être seule, être heureuse : tout cela, je le fais désormais intensément, intensément, intensément. J'aime encore plus les gars en tee-shirt froissé et les mecs en chemise Armani impeccable, les noceurs et les casaniers, les étudiants poussiéreux, les cosmopolites trendy et les bellâtres de la Côte d'Azur, les philosophes et les sportifs, le docteur K et Liam Neeson, les hommes comme ci et les hommes comme ça. Le cancer m'a offert Jurriaan, un épicier qui sélectionne pour moi les meilleurs kiwis jaunes, les plus belles betteraves et les bananes les plus savoureuses, et un fleuriste qui glisse une orchidée mauve dans mon sac quand j'ai les yeux tournés ailleurs. Bordel ! Je ne parviens pas à tout haïr, et encore moins à tout haïr intensément. Cette horrible injustice, cette solitude détestable, cette angoisse profonde… Merde, j'ai un nouvel ami ! Un ami très, très proche, même : le cancer ! Mon meilleur ami ! Bordel de bordel, c'est vrai. J'aime vraiment tout le monde !

— Imagine ! On croira que c'est un sein ! Un troisième !

Nous sommes au Finch. J'essaie d'expliquer à Annabel que le boîtier que les médecins veulent fixer au-dessus de mon sein gauche ressortira davantage que mon minuscule bonnet A. Nous éclatons de rire.

— Avec un tuyau ? demande Annabel.

Nous rions de nouveau aux éclats.

— Bah ! Tu t'en fiches ! Tant que tu t'en sors !

— J'ai peur, Annabel !

— Moi aussi. Mais regarde-toi ! Tu as une mine splendide !

Je souris. Annabel a raison. J'ai l'air en meilleure santé qu'en janvier, quand le cancer était à son pic de nocivité.

— N'empêche. J'ai peur. Je suis convaincue que les tumeurs sont en train de rétrécir, mais qu'arrivera-t-il si elles ne disparaissent pas complètement ?

— Il n'y a aucune raison de penser ça.

— Non, mais je n'arrête pas d'y penser.

Annabel me serre dans ses bras.

— Ton prochain scanner, c'est quand ?

— Mercredi.

— Et les résultats ?

— Lundi…

Mercredi 1er juin 2005

— Bonjour. Docteur Van der Stap à l'appareil. Puis-je parler au docteur L, je vous prie ?

Dissimulée derrière un des nombreux piliers en béton du hall d'accueil de Notre-Dame, je téléphone à la réception. Heureusement, mon médecin rira bien de la plaisanterie. Il sait à quel point cet hôpital moderne est englué dans les tracasseries administratives. Nous sommes en 2005, et la cave continue de crouler sous les dossiers. J'ai bien peur de porter une part de responsabilité dans ce gâchis. J'ai changé tellement de fois de service que ce doit désormais être mission impossible de retrouver mon dossier. D'ailleurs, il doit bien y en avoir trois ou quatre exemplaires.

Notre-Dame est en pleine phase de modernisation.

— Non, madame, je ne peux pas vous aider. J'ai besoin de votre badge.

Me voici au secrétariat des CT-scans. J'ânonne docilement mon numéro de patient et j'explique que je ne retrouve pas mon badge. Étant donné le nombre de fois que je le sors de mon sac, de la poche de mon pantalon ou de mon portefeuille, je suis même presque fière de ne faire la queue qu'une troisième fois pour en demander le renouvellement.

— Depuis lundi, nous travaillons avec un nouveau système. Nous devons désormais tout scanner. Si vous n'avez pas votre badge, je ne peux pas vous aider.

Mon rendez-vous se trouve pourtant inscrit noir sur blanc sur son bureau, de la main même de mon médecin : Mme VAN DER STAP 08 H 00. Depuis le temps que j'attends, il est huit heures sept. Déjà sept minutes que mes boucles blondes se démènent ! En vain, car j'attends toujours dans la file de la réception, pour racheter ce fichu badge. À chaque minute qui passe, mon cœur bat plus vite. Je suis au comble de l'énervement.

— Ce sera cinq euros, madame.

— Excusez-moi, dis-je. Je dois vraiment payer pour cette connerie ? J'ai simplement oublié mon badge à la maison !

De l'autre côté de la vitre, l'employée du guichet demeure impassible. Elle ne remue pas un cil.

Bah ! Après tout, je m'en fous ! Les yeux exorbités, je prends enfin possession de ce satané badge.

Huit heures quatorze. Merde ! Mon médecin m'avait dit de ne pas arriver trop tard… J'appelle « mon » honoré confrère, mais il ne décroche pas.

Huit heures dix-sept. Je traverse le hall d'un pas rapide en slalomant entre les petits vieux et les autres obstacles en travers de mon chemin. Je suis tout de même plus importante, non ?

— Ah, madame Van der Stap ! Tout est en ordre, j'ai trouvé votre rendez-vous. Je ne savais pas que c'était vous !

Non mais ! Faudrait voir à pas prendre les gens pour des cons !

Stressée, je m'effondre sur une chaise dans la salle d'attente. Il y a du monde. On me tend une carafe contenant de l'eau et un produit radioactif. Il faut vraiment que j'avale tout ça ? Un litre d'eau en une heure ! Je ne comprends pas : la dernière fois, on m'avait fait une intraveineuse.

— Vous devez tout boire, me dit un vieil homme.

Sans doute encore un bénévole venu là pour donner un peu de sens à sa vie.

— Oui, mais pourquoi ?

— Oui, vous devez tout boire.

Bonjour le dialogue de sourds ! En fin de compte, un infirmier qui comprend mon inquiétude et qui est payé pour ça prend le relais.

— Nous faisons aussi un scanner de l'abdomen, aujourd'hui. Ce n'est pas la même méthode.

Je m'installe. Bah ! Qu'est-ce que c'est, une heure ? Je n'ai rien à faire, de toute façon. À part m'asseoir, attendre et boire mon eau…

Dans vingt minutes, j'ai rendez-vous en chirurgie. Au labo, sur le chemin du service oncologie et du coin à expressos, je tire le numéro 871, pour mon analyse sanguine hebdomadaire. Il y a encore huit numéros avant moi. Tout est calme, c'est une bonne chose. Du coin cafétéria (où tout a été emporté sauf les vieux morceaux de tarte, derrière le comptoir), je surveille l'écran où défilent les numéros. Le temps de prendre un café et deux berlingots de lait, et c'est mon tour. L'infirmière prélève trois tubes de sang, les étiquette et les met sur le côté.

Sur le formulaire, il y a trois valeurs que je surveille toujours : mes thrombocytes, mes leucocytes et mes globules rouges. Je ne me préoccupe pas des autres.

Avec mon petit sparadrap sur le bras, je me rends maintenant en chirurgie. Oui, la journée à Notre-Dame s'annonce longue, mais c'est ça de moins pour les autres jours. Je suis docilement l'infirmière jusqu'à une petite salle blanche comme celles que je connais bien. Mais c'est dans un nouveau service. Je vais rencontrer un nouveau toubib !

Lorsque la porte s'ouvre, cinq minutes plus tard, je suis folle d'impatience. Je me concentre pour apprécier à sa juste valeur la beauté de mon nouveau médecin. Un héros de plus : une belle gueule, des bras musclés, une taille fine et des chaussures sans crans. De quoi rappeler le docteur K à Daisy… Ah, je vous rends volontiers le docteur L ! Je garde le docteur Beaux-Bras !

Docteur Beaux-Bras commence un nouveau dossier à mon nom avant de m'expliquer en quoi consistera l'intervention. Il va pratiquer une incision au-dessus de mon sein pour placer un boîtier sous ma peau, et puis il recoudra. Exactement ce que j'ai dit à Annabel. À l'hôpital, ils appellent ça un port-à-cath. Mes bras vont s'en trouver mieux (ils sont criblés de bleus), mais cette chose va jurer avec mon décolleté estival. Alors que je venais de décider de passer mes vacances dans le midi de la France ! Je me vois déjà sur la plage avec cet engin… Encore une trace de l'emprise du cancer sur mon corps. Cette fois, ce n'est pas le docteur K qui va me marquer par-derrière, mais le docteur Beaux-Bras, par-devant…

Samedi 4 juin 2005

Je suis la plus jeune. Autour de moi, toutes les femmes sont d'un certain âge, voire d'un âge certain. Elles ont des enfants et un mari, ou alors elles ont divorcé, elles ont perdu leurs parents, elles se sont fait refaire la bouche et les seins, ou elles ont les seins qui pendent et un gros ventre…

Elles ont une vie.

Elles ont une histoire.

Tania organise un après-midi fringues. Cette amie de ma mère n'a jamais quitté les années soixante. Elle en a gardé les tenues vestimentaires et quelques rides. Il y a du café, des rires et des chocolats. Je trouve ça agréable, de regarder toutes ces femmes ménopausées essayer des vêtements. Et de voir qu'à cinquante ans elles sont restées fidèles à la jeune femme qu'elles furent jadis et que je suis toujours.

Gloups ! Cela me fait penser que le temps poursuit inexorablement sa course, quoi qu'il advienne. Que nous marchons tous vers une destination ultime, hors du temps. Et que j'y arriverai peut-être plus vite que les autres… J'essaie de mieux comprendre, mais plus je réfléchis, plus je sens la distance grandir entre ces femmes débordantes d'énergie et moi. Me voilà toute triste et toute remuée. Le temps met un terme à toutes les histoires. Il les engloutit. Mon histoire à moi, il y mettra peut-être un point final très rapidement, sans que j'aie la chance de me faire refaire les lèvres. Derrière toute cette mascarade se cache peut-être cette vérité : le temps a déjà préparé un cercueil pour Daisy, Stella, Sue et Blondie. Pour moi…

Du coup, j'en oublie mon intérêt pour une petite jupe violette et pour le chemisier doré que j'avais pêchés dans un tas il y a tout juste cinq minutes. Je les laisse tomber au sommet d'une autre pile. Quand je vois la petite jupe entre les mains d'une femme aux chairs qui pendent, je regrette d'avoir jamais voulu la convoiter. Mais, l'instant d'après, j'aimerais l'avoir vraiment désirée. J'aimerais que les choses ne me soient pas égales, pendant longtemps, longtemps, longtemps !

J'ai envie de me plonger dans le Livre des morts tibétain, même si l'exercice doit être solitaire. Je voudrais me familiariser avec le concept du cercueil. Cela me semble la meilleure solution pour me changer les idées. Mais parler de ce qui arriverait « si les choses tournaient mal », c'est comme si je tirais la sonnette d'alarme, comme si je disais que la mort est peut-être là, tout près. Il y a des choses dont on ne parle pas à voix haute à une terrasse d'Amsterdam, un verre de jus de tomate à la main, ou dans un immeuble du parc

Sarphati, lors d'un après-midi fringues avec une vingtaine de femmes ménopausées. Le choix du cercueil qui me conviendrait bien, par exemple. Non, en pareille occasion, mieux vaut parler de ma dernière coiffure ou de mes nouvelles sandales.

Ah, si je pouvais être là le jour fatidique, ne serait-ce que pour surgir du gâteau à la crème au beurre et pour transformer l'atmosphère de deuil en allégresse générale ! Dans d'autres pays, c'est comme ça, ils font la fête ! Aux Caraïbes, par exemple. Ils dansent, ils draguent… Pourquoi pleurer quand quelqu'un meurt puisque nous savons tous que la mort est inéluctable ? Pourquoi ne pas plutôt célébrer la vie ?… Ma vie ! Même si elle aura été brève, elle aura été suffisamment belle pour qu'on y repense avec un grand sourire !

Je pars à la recherche du chemisier doré. Je le retrouve sur des épaules de cinquante-cinq ans : celles de ma mère.

— Qu'est-ce que tu penses de cette jupe ? Et de cette blouse ?

Ma mère et son amie Maud aiment se déguiser.

— La jupe est belle, mais le chemisier ne te va pas. Il est trop petit pour toi. Peut-être qu'il m'irait, à moi…

Je veux recommencer à danser et à draguer. Comme avant, mais avec une perruque. Et, comme avant, pénétrer dans la nuit inconnue et surprenante. Juin a commencé, les journées s'allongent, le vent s'adoucit et se réchauffe. Le printemps me donne des fourmis dans les jambes. Tout émoustillée par la petite jupe de Maud et le pantalon de ma mère, j'attrape une chemise à paillettes parmi une pile qui s'est effondrée. J'empoigne mon téléphone, j'envoie un texto et je me mets en quête d'une veste assortie à ma jupe.

Le Rain est un nouveau club aménagé dans l'ancien casino de la place Rembrandt. Je monte les escaliers, encore un peu gauche et en même temps aussi à l'aise que si je ne m'étais pas éclipsée tout un temps de la vie nocturne. Ce soir, je suis rousse et sauvage, je suis Sue. J'ai perdu tous mes cils, mais ça ne fait rien : mes faux cils sont encore plus longs, encore plus beaux. Et l'idée de tricher un peu me plaît. Les paillettes de mon chemisier scintillent sous les lumières tamisées. Mon autobronzant me donne la confiance en moi dont j'ai besoin pour étaler un maximum de peau. Seule ma chair de poule trahit ma nervosité, mais personne ne pourrait la remarquer, car sur les bras non plus je n'ai plus aucun poil.

Il fait très sombre, au Rain, et cette obscurité vient à point. Je veux plonger dans le mystère de la nuit, tout oublier et m'amuser comme n'importe quelle jeune femme sans histoire.

Dans mon assiette, la lotte de mer nage dans une sauce à la crème. En face de moi, Arthur. Il est observateur de tendances. Le genre de gars qui roule constamment sa bosse à gauche et à droite sans jamais se poser. Il m'invite souvent à partager avec lui un bon dîner, un bon vin et une bonne conversation. Il verse le fond de la bouteille, nous vidons nos verres. Quand un ami à lui se pointe, un peu plus tard, nous avons déjà sifflé plusieurs mojitos. D'après lui, tous ces verres de rhum devraient tuer les dernières cellules cancéreuses qui ont résisté à la chimio. Bonne idée, j'en parlerai à mon médecin !

« Il faut vivre sainement, Sophie, m'a dit le docteur L. Vous devez bien manger, bien dormir, et surtout donner à votre corps un maximum de repos. Votre organisme mène un terrible combat. »

J'avale une nouvelle gorgée de rhum. Pendant quatre longs mois, je lui ai obéi, mais je commence à me lasser du thé à la menthe. Je ne ressens pas une once de culpabilité à boire de l'alcool. Ce soir, c'est du baume sur mon cœur.

Sur la piste de danse, nous nous perdons vite de vue, Arthur et moi. Il s'est lancé dans une grande conversation avec une de mes anciennes amies du lycée. Elle est grande et mince et, comme je la connais, elle est certainement encore au régime. Eh oui, il y a des filles comme ça ! Je balaie la piste du regard. Mon attention est attirée par une cravate folle qui s'agite de l'autre côté. Je me lance dans la bataille en remuant gaiement ma chevelure rousse au rythme endiablé de la musique.

Je suis affalée dans le taxi, à moitié endormie. Mister Cravate Folle ronronne sur mes genoux. Je me sens grisée. Grisée par tous ces délicieux rhums et par cette soirée vécue incognito. Mister Cravate Folle me voit comme une chouette nana à la coiffure branchée. Nous parlons de musique funk et de ses Converse All Star, c'est tout.

— Qu'est-ce que tu fais dans la vie ?
— Je m'offre une année sabbatique.
— Waouh ! Cool !

Il ne sait rien du sentiment de solitude qui m'envahit du simple fait de garder mon histoire secrète. Ni de cette mystérieuse rousse qu'il a rendue si heureuse en lui caressant les cheveux au moment où il l'embrassait. Ni de son univers réel. Il n'a pas compris

110

qu'en conquérant le cœur de Sue il avait aussi conquis ceux de Daisy, Stella et Blondie.

Après un long baiser voluptueux, je sors du taxi pour retourner dans mon monde. Après-demain, je dois de nouveau me présenter à Notre-Dame. J'ai dit à Mister Cravate Folle que je prenais une semaine de vacances. Il croit que j'ai réservé un vol de dernière minute pour Marrakech. S'il savait que ce n'est qu'un rêve et que je dors à trois rues de là ! Trois rues qui ont suffi à me faire oublier tout un univers en dansant avec lui…

Dimanche 5 juin 2005

Romantique comme je suis, cela fait plusieurs semaines que je rêve de me faire un pote parmi les cancéreux. Quelqu'un comme Jurriaan ou même quelqu'un qui ne serait pas encore débarrassé de son cancer. Quelqu'un qui pourrait aller et venir avec moi dans l'hôpital, quelqu'un qui pourrait embêter les médecins avec toutes ses questions, quelqu'un qui me prendrait dans ses bras quand je pleure la nuit toute seule dans mon lit…

Lors de notre première rencontre, Jur m'a demandé si j'avais un petit ami. Je lui ai répondu que j'avais des tas de grands amis. Je comprends seulement mainte-nant le sens de sa question. Je vais boire des cafés avec mes potes, ils viennent me voir régulièrement à l'hôpital, mais, le soir, ils rentrent chez eux. Ils retrou-vent leur lit. Moi, je reste seule avec ma peur.

Grâce à Jur, cette peur, je parviens à la voir autre-ment. J'en prends conscience, c'est une première chose. Et puis je peux la nommer, et, de là, je peux m'y attaquer. La maladie a subitement une fonction : transformer la peur en courage. Car il en faut, du courage, pour apprendre à vivre avec le cancer et pour apprivoiser ses propres peurs ! C'est grâce à ce courage que disparaît une grande partie de ce vide que je ressens en moi, de cette satanée solitude.

Après une conversation avec Jur, j'ai l'impression de pouvoir affronter tous les cancers du monde. Je vois la maladie comme un cadeau et non plus comme une punition. Ou comme un test. Difficile de décrire l'effet magique que Jur a sur moi. Grâce à ses mots, mais aussi à l'assurance avec laquelle il les prononce. C'est son aura... C'est un miracle... C'est Jurriaan...

Il est déjà installé à la terrasse du café De Winkel, devant une part de tarte aux pommes à la crème fraîche. Aujourd'hui, il porte un tee-shirt vert fluo qui tranche merveilleusement avec son bronzage – ses bras prennent le soleil trois cent soixante-cinq jours par an. Ses cheveux noirs flottent nonchalamment sur son front.

— Hé ! Tu as changé de couleur ?

Oui, avec lui, je ris. Je suis Sue aujourd'hui et je me suis fait une petite couette. Ces derniers jours, j'apparais plus souvent en Sue qu'en Daisy ou en Blondie parce que j'ai perdu tous mes cils et tous mes sourcils. Nous nous faisons la bise avant de nous plonger dans une grande discussion sur l'actinomycine D, le dexaméthasone, les métastases et autres joyeusetés. Jur me regarde attentivement. Il trouve que cette perruque est celle qui me va le mieux.

Je suis tendue. J'ai envie de lui dire que je me sens si seule la nuit. Je voudrais pouvoir m'appuyer sur lui et lui confier tout mon chagrin. Mais je me tais. Je garde mes pensées pour moi, par peur de l'effrayer, lui qui me soutient déjà tellement.

J'ai apporté mon dossier. Jur commence à le feuilleter. J'ignore si j'accorde plus d'importance aux connaissances qu'il a accumulées lorsque lui-même s'est démené contre le cancer ou à celles qu'il a engrangées durant ses études de médecine, mais cela fait un cocktail on ne peut plus efficace. Nous discutons de toutes les décisions qu'a prises mon médecin, et je mesure subitement à quel point celui-ci se montre prudent lorsqu'il me dit qu'il a bon espoir.

— Ça marche bien, un port-à-cath ? Mon toubib m'a parlé de ça quand je lui ai dit que je ne supportais plus les intraveineuses.

— On va t'en mettre un ?

— Mardi. Les infirmières ont de plus en plus de mal à trouver mes veines.

— C'est un boîtier relié à ton cœur par un petit tuyau via la veine sous-clavière droite, sous la clavicule.

— Ah ! Tu peux traduire ?

— On m'en a mis un, aussi, tu sais. Regarde, le mien était placé ici, dit-il en levant son tee-shirt.

Il a des poils sur la poitrine. Et une cicatrice horizontale de huit centimètres de long au-dessus du sein droit.

— Je ne veux pas de ça !

— C'est pourtant bien pratique. Et ça n'est absolument pas gênant.

— Sauf si tu portes un chemisier échancré…

Jur me rassure, me répète qu'on ne voit rien. Peut-être. Mais je n'ai pas de poils sur la poitrine, moi !

Lundi 6 juin 2005

J'essaie de lire les résultats dans sa façon de me saluer. Il me regarde un peu plus longuement que d'habitude. Plus les jours passent, plus son salut est chaleureux. Je commence même à trouver gentil l'homme qui se cache derrière le toubib.

Après avoir plaisanté à propos de Daisy, le docteur L passe à l'ordre du jour :

— Nous avons bien avancé. Les tumeurs continuent à régresser. Elles n'ont pas encore totalement disparu, mais…

— C'est nécessaire ?

— Eh bien, oui, à la prochaine cure. Nous vous aurons presque administré tout ce qui existe dans le domaine de la chimio. Après, vous ne recevrez plus qu'une chimio d'entretien.

— Mais ça va ?

— Oui, Sophie, ça va.

Soulagée, je recommence à respirer. Papa et moi, nous nous serrons la main. Je quitte la pièce où j'ai eu si peur il y a quelques mois. Je tombe dans les bras de ma sœur venue à ma rencontre.

Mardi 7 juin 2005

Au réveil, je ne comprends pas tout de suite où je suis. Il y a devant moi des tas de lits blancs, avec des gens endormis dedans. Puis tout me revient : la salle d'op, les bras bruns et musclés de l'infirmier, le sommeil profond… Mais aussi les mojitos et les lumières tamisées du club du week-end dernier... D'un geste du bras droit, je palpe prudemment mon sein gauche. Mon nouveau sein gauche, devrais-je dire. Je sens une protubérance, avec un gros pansement tout autour, juste sous ma clavicule. Aaargh !

Des infirmières que je ne connais pas se précipitent à mon chevet. Je suis encore un peu dans les vapes. Ma grand-mère apparaît dans mon champ de vision. Elle est apparemment entrée dans la pièce quand je somnolais encore. C'est un être timide et fragile, cela se voit tout de suite à ses grands yeux bleus. Mamy et moi, on s'adore. Quand nous sommes ensemble, j'oublie toujours que, pendant les cinquante-six premières années de son existence, elle a eu une vie sans moi. Mamy ne parle pas de la douleur. Je crois qu'elle pense que cela ne se fait pas. Mais elle répond toujours à mes questions.

— Mamy, est-ce que tu es vraiment triste pour moi ?

Elle reste silencieuse un moment. Je vois aux mouvements de ses yeux qu'elle réfléchit.

— Oui, répond-elle.

— Souvent ?

— Tu sais, rien ne me fait plus plaisir que de penser à toi !

Silence. Cela fait mal, mais cela fait chaud au cœur, aussi, de sentir que notre lien est fort au point que toutes ses journées sont marquées par ma maladie.

À chacune de ses visites, mamy m'apporte quelque chose du magasin d'alimentation naturelle. Cette fois, ce sont des noisettes, des raisins secs et des pruneaux.

— C'est bon pour toi ! dit-elle.

Elle regarde autour d'elle avant de me demander si mes parents et ma sœur sont déjà passés.

— Non, dis-je.

Je me sens subitement très mal.

Je n'ai plus envie de voir ces infirmières que je ne connais pas, je veux retourner dans mon service, dans ma chambre, et je veux continuer à dormir.

— C'est gros ? dis-je à ma grand-mère qui est en train d'inspecter le travail des médecins.

Elle fait non de la tête, mais son expression ne me rassure pas.

Quand je retrouve enfin mon service, c'est Pauke qui ôte le pansement. Je n'arrive à voir le port-à-cath qu'en baissant la tête.

— Ah ! Ils ont fait du bon travail avec toi ! dit-elle en regardant la chose de près.

J'attends en souriant que tout le monde ait quitté ma chambre pour inspecter cet horrible machin. Deux larges bandes de chair à vif d'au moins sept centimètres de long recouvrent un objet qui fait saillie juste sous ma clavicule. Deux ? J'ai peur. Après la perte de mes cheveux, c'est une nouvelle mutilation.

Tiens bon ! me dis-je. Je sors de leur étui les photos où je fais deux doigts d'honneur à l'objectif. Je les ai toujours avec moi, pour me donner du courage dans les moments comme celui-ci. Ces yeux ! Ce regard ! Ces doigts d'honneur ! Lundi prochain, je tracerai ma vingtième croix dans mon agenda. Ma cinquième semaine au C6 sera derrière moi. Plus qu'une à tirer, fin juillet ! J'essuie une larme. Je regarde ailleurs.

Je ressemble de plus en plus à une malade du cancer. J'avais déjà la boule à zéro, maintenant je porte aussi la marque d'une mutilation sur mon corps. Je suis fascinée par ce boîtier qu'un long tuyau relie à mon ami l'échalas. Je passe la journée à le toucher, à jouer avec lui et à voir jusqu'où il peut se déplacer, en le poussant prudemment entre le pouce et l'index, sous ma peau.

Pour moi, le cancer, c'était une maladie de vieilles biques. Ces dernières années, la réalité m'a envoyé des démentis formels : même ma mère et Kylie Minogue en ont eu un ! Aujourd'hui, c'est mon tour. Mais si j'associe le cancer aux vieilles peaux, c'est sans doute à cause de ces groupes de parole qui poussent comme des champignons et qui en appellent tous à la spiritualité. Honnêtement, je n'ai pas peur d'une petite aventure spirituelle, mais je n'ai aucune envie de me protéger derrière le taoïsme ou le bouddhisme…

Jusqu'à présent, je ne me suis pas coupée des jeunes de mon âge. Tout a changé pour moi, c'est sûr, mais, en même temps, tout est à peu près resté le même. Je continue à faire de vains essayages dans les cabines bondées de chez Zara, je continue à prendre des bains de soleil, je continue à lire *Vogue* et d'autres magazines féminins. Toutes ces choses restent importantes. Très importantes, même, si je veux rester en contact avec la réalité, branchée, connectée. Je veux surmonter ce sentiment de solitude qui m'envahit parfois au point de me laisser totalement perdue. Dire adieu à mon ancienne vie, pour moi, il n'en est pas question. Je ne veux pas non plus me mettre à lire des livres tibétains, des ouvrages médicaux, ni la prose de M. Carl Simonton, que tant de malades du cancer considèrent comme un gourou. J'essaie de continuer à accorder de l'importance aux choses prétendument futiles et à m'éloigner le moins possible de celles qui intéressent les jeunes de vingt ans. J'essaie de continuer à vivre, sans trop penser au cancer.

— Bonjour, beauté ! Bien dormi ?

Ma sœur affiche un sourire rayonnant. Elle porte un panier plein de bonnes choses à manger et de guirlandes. Aujourd'hui, c'est l'anniversaire de maman. Samedi, c'est le mien. Mon voisin me jette un regard abruti. Ma voisine a l'air agacée.

— Bisou ! dis-je en tendant les bras à ma frangine.

Je suis la reine des câlins. Ma sœur ne peut jamais s'empêcher de verser une larme dans ces moments-là. Aujourd'hui non plus, ça ne rate pas. Elle s'installe dans mon lit, à côté de moi. Elle y restera jusqu'à l'arrivée du prochain visiteur. En attendant, elle me gave de pâtes (la nourriture de l'hôpital est encore plus dangereuse pour l'organisme que la chimio) avant de m'enduire les ongles des orteils de vernis rouge.

Je lui raconte mon dernier fantasme mettant en scène le beau docteur K. Elle me parle de son avenir de femme d'expat et de ses projets pour ne pas rester que ça. Elle part en stage. Pendant six mois, dans les tours d'ING, à Hong Kong.

— Six mois de ma vie, ce n'est pas grand-chose !

— Ah ?

Son mec est expat – c'est presque aussi chic que diplomate – et il est muté dans une ville différente tous les deux ans. C'est comme ça qu'ils se sont rencontrés, ma frangine et lui, mais c'est aussi pour cette raison qu'ils allaient bientôt être séparés. Alors ma sœur le suit. Et moi aussi.

Nous avons complètement tiré le rideau autour de mon lit, mais nous chuchotons, pour ne pas déranger les autres patients, et encore plus pour qu'on ne nous dérange pas.

— Ta blessure de guerre ! dit ma sœur à propos de mes cicatrices en caressant prudemment mon boîtier à travers la peau.

Elle est forte en symbolique, y a pas à dire. Elle pense sans doute plus aux bleus à l'âme qu'aux bleus au corps. Là où je dis « cancer », elle parle de « lumière grise ». Elle met la maladie en scène, mais je ne fais pas autre chose : chacune a sa manière. Nous vivons dans une belle empathie romantique.

C'est bon de savoir que ma frangine se perche sur mon épaule tel un ange gardien quand la lumière grise rôde aux alentours. Il n'y a aucune pudeur entre nous. Elle me donne son temps sans compter pour me préparer de bonnes soupes aux légumes et d'autres plats revigorants. Quand je la vois entrer dans ma chambre avec toutes ces préparations, j'espère de toutes mes forces que, si les situations avaient été inversées, j'en aurais fait autant pour elle. Je sais par son compagnon qu'elle lutte contre un sentiment de culpabilité chaque fois qu'elle entre dans ma chambre et qu'elle me voit là, au pays du temps arrêté. Mais c'est cela qui me semble le plus difficile, à moi : vivre pour quelqu'un d'autre au lieu de vivre sa vie. Ma famille vit pour moi, désormais. Ils me l'ont tous déjà montré tant de fois !

Jeudi 9 juin 2005

— Vous en avez, de la chance, petite demoiselle ! Quand on est jeune, on s'en sort toujours mieux !

Mon vis-à-vis me regarde comme si j'avais gagné à la loterie. Son voisin a l'air du même avis.

— Pardon ?

— Oui, oui, oui ! Quand on est jeune, il y a moins de risque que ça revienne !

Les cheveux de ma perruque se dressent sur ma tête.

Et toi, estime-toi heureux que le cancer occupe ta retraite, connard !

Comme j'aimerais avoir le courage de lui servir ses quatre vérités ! Mais je garde le sourire et je détourne la tête. Encore deux nuits et je pourrai rentrer chez moi. Pour mon anniversaire.

Je me cache sous la couverture. J'attends la nuit. Je pleure tous les soirs. Je pleure parce que je me sens seule, je pleure parce qu'à vingt ans je suis bloquée par cette fichue chimio alors que j'ai des amis de quarante balais qui sont en train d'écumer les bars. Avec ces trois papys pour seule compagnie, je repense à ma vie avant que tout se mette à changer, il y a tout juste dix-neuf semaines. Mon moral pourrait difficilement être plus bas.

Vendredi 10 juin 2005

— Tu manges, ce soir ? Du poulet-frites ?

Esther passe la tête entre deux rideaux. Elle va me retirer d'ici : j'en ai marre de la sale tronche de mes voisins ! Une chambre particulière vient de se libérer.

Une bonne nouvelle pour moi, une moins bonne pour la famille de la personne qui occupait cette chambre…

Esther n'est pas comme les autres infirmières. Elles sont gentilles, bien sûr, mais Esther est jolie, aussi, et elle est jeune, ce qui est encore plus important. Avec elle, je peux papoter. De cafés, de maquillage, d'iPod, de garçons et de son boulot de DJ à Amsterdam et dans les environs. C'est une passionnée. Le mardi soir, elle regarde *Desperate Housewives*, tout comme moi et un million d'autres femmes. Elle est toujours de service le mardi et le mercredi, mais cette semaine elle travaille aussi le vendredi.

Le mardi, pendant qu'elle jongle avec les poches de chimio, je regarde notre feuilleton culte dans mon lit en espérant que tous les autres patients de mon service savourent aussi ce grand moment et qu'ils ne vont pas trop jouer de la sonnette, parce que cela crée des interférences avec le son de la télé. Malheureusement, ici, c'est l'heure de pointe en permanence et Esther court sans répit d'une chambre à l'autre.

Retour à aujourd'hui. Esther est venue me rejoindre. Je lui raconte ma soirée avec Mister Cravate Folle.

— Tu as une photo ?

— Non.

— Dommage ! Bon, tu manges avec moi ?

Elle tient à la main la carte du Jardin des Salades, la cafétéria du coin de la rue.

— Oh ! Génial ! Tu commandes maintenant ?

— Non, pas avant cinq heures.

Elle laisse le menu sur mon lit, me débranche et pousse mon lit à roulettes vers la chambre B2. Bastiaan s'occupe de déménager le reste, mes pantoufles et tout ça… Il est quatre heures moins le quart. Esther vient d'entamer son service, mais pour moi la journée est déjà presque terminée. La partie la plus dure, en tout cas, car je reçois toujours la plupart de mes visites après cinq heures. Arriveront bientôt ma grand-mère, mes parents, Annabel, et puis Rob.

Annabel, mes parents et ma sœur viennent me voir tous les jours. Ils restent à mon chevet jusqu'à la tombée de la nuit. Peu à peu, les voix se taisent dans le couloir et je reste seule avec mon ami l'échalas et les textos que je reçois sur mon portable.

— Raconte un peu ! C'est qui, ce mec ? demande Rob.

— Il portait une cravate et des Converse All Star, et il embrasse comme un dieu.

— Et… ?

— Et rien. Je lui ai dit que ça s'arrêtait là pour moi. Il n'a même pas remarqué que je portais une perruque !

Rob éclate de rire.

— Il n'a pas arrêté de me caresser les cheveux en m'embrassant, pourtant. Je ne comprends pas comment il n'a rien senti.

Rob me serre dans ses bras en riant. Il est si doué pour les câlins que, si je le laissais faire, il m'étrangle-rait.

— Tu fais quoi, ce soir ?

— Je vais passer chez Franken et Kok, je crois. On portera un toast à ton anniversaire !

— C'est gentil comme tout. Ils me laissent partir demain. Je serai très émue, mais j'ai très envie de vous voir tous.

— Ah, ma chérie, on t'apportera des fleurs ! Un énorme bouquet pour madame !

Il fait noir. Rob se lève. Le bruit de ses bottes s'éloigne dans le couloir. Quelques larmes coulent sur mes joues. Esther court de gauche à droite. Un regard à mon ami l'échalas, et je m'aperçois que ma poche de chimio est presque vide. Dans quelques minutes, il va se mettre à sonner et Esther va accourir avec une nouvelle poche. Chère Esther, qui promène sa chevelure de feu dans ce royaume du blanc !

Quand elle entre dans ma chambre, elle me trouve plus démunie que jamais : sans cheveux ni plaisanterie. J'écris.

— Jochem passera demain. Tu sais, le type dont je t'ai parlé. Il faut absolument que tu le voies !

— Ah bon ! Pourquoi ?

— Il vient de m'appeler. Il m'a dit qu'il avait déjà fait l'amour avec toi. Je n'ai rien répondu. Avec lui, on ne sait jamais quand il plaisante.

— Moi ? Je n'ai jamais fait l'amour avec un Jochem ! répond Esther en riant.

Samedi 11 juin 2005

Vingt-deux roses jaunes ! Je n'aime pas les roses jaunes, mais j'entreprends aussitôt de compter les fleurs que je viens de recevoir. Oui, il y en a bien vingt-deux ! Avec une petite carte : « Malheureusement, je ne peux pas te les apporter en personne. » Ce n'est pas signé, mais ce n'est pas nécessaire, car je sais qui m'a envoyé ce bouquet. Je n'ai qu'un ami capable de choisir des roses jaunes pour moi, et je n'ai qu'un ami capable de se montrer aussi attentionné : Martin !

Quelle fête ! Un anniversaire, c'est encore mieux quand on est malade et qu'on mesure toute la chance qu'on a d'avoir vécu une année de plus !

Les infirmières entrent dans ma chambre en chantant, Pauke en tête. Elle n'aime pas les pertes de temps. Elle en profite pour désinstaller ma perf.

Moi non plus, je n'aime pas les pertes de temps. J'ai déjà emballé mes affaires. Je suis prête à partir. Bastiaan était de garde cette nuit. Il a légèrement accéléré le débit de ma pompe. Le reste du service a lui aussi œuvré pour que tout soit prêt pour mon départ de l'hôpital. Comme mon taux d'hémoglobine est un peu plus élevé que d'habitude (6,5), j'ai le droit de faire l'impasse sur la transfusion.

On m'a préparé un fauteuil roulant. Ils ont dû penser que j'étais un peu faiblarde. C'est vrai que je me sens toute flagada. Je veux protester, mais j'ai le tournis dès que je me lève. Je quitte le service, direction l'ascenseur. Bordel ! Fêter ses vingt-deux ans en fauteuil roulant !

Mardi 14 juin 2005

— La tête d'Uma Thurman dans *Pulp Fiction* ! C'est ça que je veux !

J'avale ma dernière gorgée de thé, j'embrasse Annabel et je saute sur mon *mountain bike*. Dix minutes plus tard, je le range devant la façade de mon magasin de perruques préféré.

Très vite, je me rends compte que le noir est trop dur pour mon visage. Mais le même modèle en version auburn me va très bien. Les cheveux tombent sur mes épaules, même la frange.

— Nous pouvons la couper, si vous le souhaitez.

— Combien coûte-t-elle ?

— Cinquante-deux euros cinquante.

Waouh ! C'est ma perruque la moins chère. À côté de moi, une brune est en train d'enfiler un postiche aux cheveux blancs et lisses. Il est d'un synthétique à faire peur, mais l'effet est génial.

— Je pourrais aussi essayer celui-là ?

— Ça fera cinquante-deux euros cinquante plus soixante-six… Cent dix-huit euros cinquante, madame. Nous vous offrons la laque. Cadeau de la maison aux bonnes clientes.

Ah, les perruques, j'adore ! Six perruques, six noms, et autant d'amies et d'admirateurs. Six identités derrière lesquelles se cache une part de Sophie. Il y a la Sophie timide et peu sûre d'elle : Stella. Sophie la sauvageonne au franc sourire : Sue. Sophie l'introvertie : Blondie. Sophie la rêveuse : Daisy. Et puis les deux nouvelles. Sophie la sensuelle : Emma. Et Sophie l'aventureuse : Platine.

Depuis le jour où j'ai appris que j'avais un cancer, mon aire de jeu est passée de la superficie d'une salle de gym à celle d'un terrain de football. Il ne se passe pas un jour sans que je sente que des tas de gens pensent à moi. Tout le monde a envie de faire un petit quelque chose pour moi, de celui qui veut prendre ma commande au Finch à celui qui veut me gâter chez l'esthéticienne. Parfois, j'ai peur que toute cette chaleur humaine ne me fasse oublier ce que c'est que de vivre sans l'aide de bras secourables à tous les coins de rue. J'ai tous les droits, je peux tout dire, tout faire ! Heureusement que je peux tout supporter, aussi. Dès que j'apparais coiffée d'une nouvelle perruque, les gens sont sous le charme.

« Dis, elle te va bien aussi, celle-là ! »

Mes perruques m'aident à cacher ce que je veux cacher, comme elles m'aident à oser être la personne que je veux être. Lorsque j'enfile une perruque, je crée l'espace dont j'ai besoin. Dans ma tête, c'est le chaos. Mais au lieu d'avancer à l'aveuglette dans un dédale, comme avant, je commence à avoir l'impression de m'acheminer le long d'une petite route avec çà et là une sortie.

Le temps des jeux de cache-cache est révolu. Je jouis pleinement de ma féminité. J'adore qu'on klaxonne après moi, qu'on me drague, qu'on me regarde. Cela rend la situation plus cool pour tout le monde. Il est parfois si difficile de comprendre les problèmes de quelqu'un ! Avec une perruque qui me va bien, les choses roulent, car je ne peux pas mieux montrer ma vulnérabilité et donc qui je suis.

Je suis toute fière de ma nouvelle coiffure synthétique. J'enfourche mon vélo. Je vais retrouver Rob et Jan à une terrasse.

Ils m'accueillent avec un sourire jusqu'aux oreilles. Jan adore tout ce qui est farfelu et voyant, et Rob m'adore, tout simplement. En Platine, je suis tout ça à la fois : farfelue, voyante et… moi !

— J'ai peut-être effrayé Mister Cravate Folle hier.

— Tu l'as revu ?

— Oui, à la terrasse du Winkel. Il ne m'a pas reconnue, j'étais en Blondie !

— Qu'est-ce que tu lui as dit ?

— Que j'étais allée chez un coiffeur expérimental. Je crois qu'il me trouve très tendance. Ou alors folle à lier !

— Je t'adore ! Viens ici… dit Rob avant de me coller une grosse bise sur la joue et de me serrer si fort dans ses bras que j'en ai mal partout.

— Mon chou ?

— Oui ?

— Non, rien…

Mercredi 15 juin 2005

Je fais la queue devant la caisse du magasin diététique de Westerstraat avec mon sac recyclable. Je ne crois pas au régime anticancer. Tous ces gourous qui prétendent détenir *LA* solution, très peu pour moi ! En revanche, je crois aux vitamines, aux produits bio, aux antioxydants, au sirop de pomme et au jus de betterave.

Dans mon panier, j'ai un paquet de flocons d'avoine, du quinoa, du millet, des graines de lin, du sésame et des pépins de courge. Néophyte sur ce terrain, je m'étonne encore d'avoir pu presser un fenouil entier à la centrifugeuse ce matin et je me demande bien ce que les autres font avec leur millet, leur sarrasin ou leur quinoa. Satisfaite de m'acheter un tel capital santé, je lorgne dans le panier de ma voisine : des algues et encore des algues ! Derrière le comptoir, une étagère croule sous les comprimés : spiruline, chlorelle, aloe vera, ginseng et autres produits mystères. Découragée, j'écoute la conversation entre ma voisine et la déesse de

127

la santé qui fait office de caissière. Pour moi, ce dialogue, c'est du chinois. Plusieurs boîtes de comprimés disparaissent dans le sac recyclable de la cliente. Soupir. Ce rayon-là, ce sera pour plus tard.

Sur le chemin du retour, je m'arrête dans un des nombreux clubs de yoga de la ville. Le yoga, c'est aussi une question de forme et de bien-être, non ? Et puis, c'est un beau mot, « yoga ». Aujourd'hui, je vais au bout de mes résolutions ! J'essaie d'étirer mes membres toujours davantage sur mon petit tapis. Car c'est ça, le yoga : s'étirer, s'étirer, s'étirer tant que les muscles l'acceptent. Pas seulement les bras et les jambes, mais aussi les doigts et les orteils !

Après le yoga, la méditation. Pfffft ! La méditation ! J'en suis encore loin ! Surtout quand on a oublié de demander à quoi elle pouvait bien servir ! Mais je médite – ou plutôt : je tente d'essayer d'entrer en méditation. Je pense que, pour le moment, je me trouve quelque part entre contemplation et concentration. Il faut un début à tout…

En écrivant ce qui précède, je me dis que je verse dans les clichés. Qui dit maladie dit volonté de retrouver la santé et de prendre pleinement conscience de son corps et de son esprit. Magasins d'alimentation naturelle, philosophie, yoga, méditation… Sérénité, spiritualité et sourire… Un petit ami en réserve… Après tout, il faut bien que tous les cierges que je brûle à la chapelle de l'hôpital servent à quelque chose ! Une frangine qui m'aime et qui me fait des cappuccinos maison au lieu de jouer les cosmopolites à Hong Kong… Un chat qui m'attend près de la fenêtre… Des parents qui sont toujours heureux ensemble et qui, Dieu soit loué, sont mes parents. Un corps sans trop d'anomalies…

— Je dois faire un scanner du cerveau !

— Si ça peut vous rassurer, marmonne le docteur L, mais je ne me fais aucun souci de ce côté-là.

Il remplit le document adéquat.

Je me suis mis dans la tête que j'avais quelque chose de pas normal là-haut. Quelque chose comme une tumeur au cerveau, peut-être. Cela fait plusieurs semaines que j'ai constamment la migraine. Je sens des élancements à hauteur des tempes, j'entends des hélicoptères et j'ai un rhume terrible. Or j'ai lu à la bibliothèque médicale que le rhume pouvait être un signe annonciateur d'un problème au niveau du cerveau. Et que dans le cas de ma maladie des métastases n'étaient pas impossibles. Après plusieurs attaques d'hélicoptères, plusieurs crises d'angoisse et deux après-midi passées à bouquiner à la bibliothèque, j'ai fait part de mes soupçons au docteur L.

— Mercredi 29 juin, à sept heures cinquante, dit-il. C'est dans quelques jours. Vous l'avez inscrit ?

— Oui, mercredi prochain, à huit heures moins dix.

— Bien. Dans ce cas, je vous verrai au traitement de jour. Avant ça, vous avez encore une cure ?

— Oui. Ce sera la combientième, déjà ?

— Un moment, je regarde. Alors ça fait… huit, neuf, dix, onze, voyons voir… douze, oui, ce sera la douzième. C'est dur, hein ? On arrive presque à la moitié ! dit-il, encourageant.

— D'après mon filofax, c'est la vingt-deuxième semaine. Quand est-ce que j'aurai les résultats ?

— Le plus rapidement possible. Dès le lendemain, j'espère. À ce moment-là, je vous parlerai de la suite de votre traitement. Mercredi, je participe à un groupe de travail au CMU. Nous discuterons de l'opportunité d'une radiothérapie ou d'une intervention. Mais, encore une fois, il ne me semble pas que ce dernier point soit envisageable.

Le docteur L va discuter de mon cas avec des professeurs et des radiothérapeutes. S'ils veulent couper, il faut que cela se fasse maintenant. Même si tous les médecins qui ont étudié mon dossier jusqu'à présent n'envisagent pas une opération, je l'espère, moi, de tout mon cœur. Après six mois de chimio, mes tumeurs ont beaucoup changé.

— Oh, et cette perruque ! ajoute le docteur L en montrant Platine. Je ne l'aime pas beaucoup. Je trouve qu'elle vous vieillit.

— Mais *je me sens* vieille !

Mercredi 29 juin 2005

Je n'ai jamais été aussi stressée. Cela fait vingt minutes que je suis étendue là, avec un casque sur la tête et un grillage devant les yeux, à écouter un bruit qui me fait penser à la perceuse de mon voisin.

Le bruit s'arrête subitement. Deux visages étrangers se penchent au-dessus du mien.

— Nous devons injecter un peu plus de liquide de contraste, ce n'est pas assez clair.

Merde ! Ils ont vu quelque chose ! Il y a un problème ! Merde ! J'ai des métastases au cerveau !

— Il y a un souci ? dis-je.

Les deux têtes étrangères échangent un regard, mais gardent le silence.

Je deviens plus anxieuse à chaque seconde qui passe.

— Rassurez-vous, tout va bien, intervient le radiologue. Nous voulons juste…

Il n'a pas le temps d'achever sa phrase. De soulagement, j'ai éclaté en sanglots. Tout en entendant les derniers bruits de perceuse, je me dis que décidément, oui, je fais de plus en plus confiance à mon toubib.

Je me présente soulagée au traitement de jour. Judith court dans tous les sens. Les autres infirmières la surnomment « la Tornade ». Je dis bonjour, je m'assieds dans un fauteuil d'avion près de la fenêtre, je suçote un biscuit à la cuiller et j'appuie sur la touche *PLAY*. Et c'est reparti pour un tour de chimio !

Jeudi 30 juin 2005

Rob et moi sommes assis le long de l'Amstel, dans le quartier d'Ouderkerk. Nous attendons un coup de fil. Cela fait vingt minutes que je picore mon déjeuner. Comme toujours, Rob mange de la viande rouge. Et moi, comme toujours, une salade de vitamines.

Téléphone. Je pique spontanément ma fourchette dans l'assiette de Rob. Un morceau de gras. *Yes !*

— Nous sommes tous d'accord pour dire qu'il n'est pas possible d'opérer. Nous passons directement à la radiothérapie.

Je ne comprends pas.

— Vous pouvez quand même couper ce qui dépasse !

— Non, c'est impossible. C'est une intervention que nous ne pratiquons plus depuis les années soixante-dix.

C'est une zone trop délicate. Nous vous ferions plus de mal que de bien.

— Ah ! Qu'est-ce qu'on fait, alors ?

— Je vous ai pris un rendez-vous pour la semaine prochaine chez le docteur O, au CMU. C'est un radiothérapeute. Il vous expliquera tout.

— Vous avez lu vos mails ?

— Oui. L'IRM est bonne, exactement comme ils vous l'ont dit.

— Ouf !

— Rien d'autre à signaler ?

— Non.

— Tout va bien ?

— Oui, sauf que je me sens un peu plus faible que d'habitude.

— Vos valeurs sanguines sont sans doute trop basses. Quand est-ce que vous venez faire votre prochaine analyse ? Nous devrions peut-être vous faire une transfusion...

— La prochaine prise de sang est prévue lundi.

— OK. Ce jour-là, passez me voir à la consultation. Au revoir et bon week-end !

— Merci, à vous aussi. À lundi.

— Au revoir, Sophie.

— Au revoir, docteur.

J'ignore si je dois être soulagée ou si je dois avoir peur. Je n'ai pas envie qu'on m'entaille de vingt centimètres, mais je ne veux pas non plus perdre une chance de guérison.

Et puis, subitement, ça. La main de Rob qui serre la mienne... Des câlins... Des bisous sur la joue... Un long regard... Et puis un baiser fougueux sur la bouche...

Rob chasse mon angoisse. Je suis amoureuse !

J'ouvre les yeux. Quelqu'un est allongé à côté de moi. Je cligne des yeux. Il disparaît. Ouvrir, fermer. Ouvrir, fermer.

Ouvrir.

Des épaules, un dos, des bras bronzés… Des cheveux gris-brun… Une belle gueule… Il ressemble un peu au gars de la pub Marlboro. Il a les bras emmêlés sur l'oreiller. Et les yeux fermés. Je me tourne doucement sur le côté pour trouver Blondie. Je m'assieds dans le lit. Il fait encore noir, dehors. J'enfile ma perruque en remuant le moins possible, je me reglisse sous les couvertures et je me blottis contre le corps bien chaud de Rob. La peau autour de mes yeux est rose et lisse comme celle de mon crâne. Des fesses nues… J'embrasse Rob sur le nez.

Il ouvre lentement les yeux… sourit…

— Salut, beauté ! Bien dormi ?

Je fais oui de la tête.

— Quelle heure est-il ?

Je hausse les épaules.

Nous nous regardons. Encore. Et encore.

C'est fou comme un visage change quand on le regarde de près. Il sourit. Nous continuons à nous regarder. Il pose une main sur mon bras. Je me rapproche encore de lui. Bisou. Sous les draps, mes jambes cherchent les siennes, ses jambes cherchent les miennes. Ma perruque glisse en travers de ma tête, mais JE NE PEUX PAS la retirer. Je suis amoureuse et je veux me sentir femme à cent pour cent ! Sensuelle, désirée, aimée, irrésistible… Et je ne peux pas y arriver si j'ai une gueule de malade.

— Ma chérie, retire-la !

— Non !

— Tu es superbe !

— Je ne peux pas !

Rob m'a connue à l'époque où j'avais encore les cheveux tirés en arrière et des ambitions politiques, où je ne rechignais pas à l'idée de boire un verre de vin en terrasse. Je servais au bar, complètement paumée, lorsqu'il a pénétré dans le café. Très vite, il est entré dans le cercle des gens qui m'étaient le plus chers.

Je me souviens que c'est vers lui que je me suis tournée, en quête de consolation, un soir. Le lendemain, mon médecin devait m'annoncer quel traitement il allait me donner. Simplement parce que Rob avait lui-même connu les rayons, une intervention et de drôles de surprises. Ah, comme j'ai rigolé quand il m'a raconté qu'il était devenu tout bleu quand on lui avait injecté du liquide de contraste entre les orteils !

« Salut, Rob. C'est moi.

— Bonjour, mon chou. Comment tu vas ?

— J'ai peur.

— Oh ! Mon chou ! Merde ! Bien sûr que tu as peur ! Moi aussi, j'ai peur !

— C'était comment, pour toi ?

— Pour moi ?

— Quand tu étais malade. Tu avais peur aussi ?

— Bien sûr. Mais le pronostic était très bon.

— Ah.

— Mon chou, ça va ?

— Non. Je vais peut-être mourir. Dans pas longtemps.

— Ah ça non, merde ! Je peux te jurer que tu ne vas pas mourir !

134

— J'ai rendez-vous avec mon médecin demain. Il doit me dire si d'après lui il est possible de me soigner. Et comment il compte s'y prendre.

— Ils vont te guérir ! J'en suis certain !

— Comment peux-tu en être certain ?

— Je le sais, c'est tout.

— Ah. Oui, peut-être. Mais le toubib m'a dit : "Ce sera un défi pour nous d'éliminer ce cancer. Mais ce sera un défi encore plus grand d'éviter la récidive."

— Putain, la vache ! Bon, je ne sais pas…

— Où tu es, là ?

— Je suis au Cineac. Je filme des grincheux qui se prennent pour le nombril du monde.

— Ah !

— Tu veux que je vienne ?

— Non, Annabel va arriver.

— Bien. Écoute, mon chou, tu peux toujours m'appeler, tu le sais, ça ?

— Oui.

— Même la nuit !

— C'est déjà la nuit…

— Dis, mon chou ! Merde, quoi ! Je t'aime, si tu veux savoir !

— Moi aussi, je t'aime. Bon, je raccroche, Annabel vient de sonner.

— On se voit demain ? Bonne chance ! Je pense à toi !

— Merci. Au revoir, mon chou.

— Douce nuit ! »

C'est sans doute à cause de sa belle gueule bien bronzée, de ses câlins amicaux et de sa Jaguar XJS que j'ai commencé à me sentir toute chose en pensant à lui. À cause de mon attirance pour les hommes mûrs aussi, évidemment. La différence d'âge, je m'en contrefiche.

135

La seule chose qui m'importe, désormais, c'est d'être avec les gens que j'aime. Et ça tombe bien. Car je l'aime. Rob.

— Mon chéri ?

— Oui, mon chou ?

— Je me sens toute chose.

Nous étions assis au soleil, sur la place du Noordermarkt.

— Toute chose ?

— Oui, tu me rends toute chose. Depuis plusieurs jours.

— Waouh ! Ma petite chose à moi !

Il m'a embrassée sur la joue.

Rob me donne des tas de petits noms gentils : mon chou, ma chérie, ma petite chose à moi…

Et il m'a pincé la jambe.

Il n'arrête pas de me pincer : aux bras, aux jambes ou aux fesses.

— Viens, on y va !

Il a payé l'addition et il m'a pris la main.

— On se fait *Les Soprano* ?

— D'ac !

— Tu dors à la maison ?

— D'ac !

— Je suis beaucoup trop vieux pour toi.

— Ton âge est le double du mien.

Nous avons ri.

— Ce n'est pas possible ! Juste dormir, rien d'autre !

— Bien sûr. Je t'aime bien, c'est tout…

Ça, c'était hier. On s'est embrassés, on s'est câlinés, on a fait l'amour. Sexe et passion. Il faudra quand même que je retourne à ma boutique préférée pour y acheter de quoi faire tenir ma perruque pendant l'amour. Sans perruque, je ne baise pas, c'est aussi simple que ça ! C'est encore plus difficile pour moi de me laisser aller avec Rob. Je ne veux pas l'effrayer avec tous les problèmes de cancer que je trimballe avec moi. Je vis dans mon petit monde. C'est peut-être pour ça que je tiens tant à ma perruque. Ma boule à zéro est trop flippante.

— Tu viens, mon chou ?

Rob s'est levé. Il a déjà rempli la baignoire. Nous restons étendus très longtemps dans l'eau chaude, jusqu'à ce que le bout de nos doigts soit tout ramolli et que l'eau refroidisse. Ensuite, retour au lit. Retour au septième ciel.

Samedi 2 juillet 2005

Jochem vide sa Duvel et commande immédiatement une nouvelle bière. Ce sont les soldes, je ne raterais ça pour rien au monde. Nous sommes installés à la brasserie PC. Je me penche sur mon assiette de potage, à la recherche de vrais morceaux de tomates. À part quelques cheveux d'Emma et deux ou trois lambeaux de dinde caoutchouteuse, je ne vois rien. Nous sommes quand même dans un quartier huppé d'Amsterdam, non ? Les nouveaux riches n'auraient-ils donc aucun goût ?

Je passe en revue mes derniers achats tout en écoutant Jochem d'une oreille. Un homme en costume, mince, gesticule derrière lui. J'écoute Jochem de moins en moins, de plus en plus intriguée par cet homme. Un avocat ? Un juriste ? Un médecin ? Un businessman ? Marié ? En voyage d'affaires ? Des enfants ? Une maîtresse ? Emma, peut-être ?

Je croise les jambes. Je balance mon pied droit d'avant en arrière. J'admire mes escarpins. Je joue avec une mèche de cheveux. Je bois une nouvelle gorgée de mon eau pétillante pour faire briller mes lèvres. Ah, mes lèvres pulpeuses ! Dès le berceau, on m'a prédit qu'elles feraient des ravages... Des lèvres parfaites pour la nympho romantique que je suis...

J'avais quatorze ans lorsqu'elles ont rencontré l'amour pour la première fois. C'était il y a huit ans. Il s'appelait Emiliano, il était éboueur. Pour lui, j'ai dit adieu à Ridge Forrester, Arnie Alberts et MacGyver. Et même à Steven Tyler et à Mick Jagger ! Comme j'étais fleur bleue ! Je n'imaginais pas devoir un jour dire adieu à sa Vespa. Les nuits que j'ai passées avec lui sur son scooter blanc ont éveillé mes premières langueurs. Gémissant sous les étoiles, je voyais le ciel s'ouvrir... À bien y réfléchir, il y aurait peut-être de quoi en faire un petit roman...

— Je mets ça à quel nom ? demande la serveuse.

Je la regarde, étonnée, sans m'éloigner des étoiles.

— Emma.

Jochem rigole avant de reprendre son histoire là où il l'avait arrêtée. Une fois qu'il est lancé... Cette fois, il parle de sa carrière d'acteur, de son petit ventre et du cul de la serveuse. Le petit ventre est embêtant, même s'il a son charme, car Jochem aime les chemises qui lui moulent le corps. Il n'a ce petit ventre que quand il boit de la bière, dit-il. Malheureusement, ça lui arrive tous les jours, sauf lorsqu'il s'offre une cure de boissons vitaminées. C'est pour ça que je ne l'appelle plus Nounours, mais Hippopotame.

Jochem travaille aussi comme modèle. Il court les castings (en rentrant le ventre), ce qui lui vaut régulièrement d'atterrir dans la salle de bains d'une jeune femme qui se lave les cheveux avec du Schwarzkopf ou dans la cuisine d'une mère de famille qui prépare du riz Uncle Ben's. Avec sa belle frimousse, son bagout et ses yeux bleus, il arrive toujours à faire sauter ses contraventions. C'est un doux rêveur, comme moi. Amsterdam est son Hollywood : c'est la ville où tous ses rêves deviennent réalité… Avec ses jobs de modèle et sa baraka au casino, il n'a vraiment pas besoin de chercher un boulot dans un bureau. Il est, disons, au-dessus des contingences matérielles…

Nous nous promenons entre les rayons. Les vendeuses au teint blafard ont l'air de s'ennuyer à mourir. Elles devraient peut-être se teindre les cheveux dans une autre couleur… ou porter une perruque… Je m'imagine leur tendre une carte de visite : *Docteur L, service oncologie.*

Mardi 5 juillet 2005

Jusqu'à il y a six mois, j'avais une vision très différente de l'hôpital. Pour moi, c'était un endroit où on arrivait malade. Et d'où on sortait guéri et joyeux. Désormais, c'est un dédale où les échantillons de sang se perdent… où les anesthésistes enfoncent trois fois la seringue avant de trouver une veine… où les dossiers se baladent tout seuls… où les décisions sont laissées au hasard… où les toubibs se contredisent… Cela ne facilite pas la communication médecin-patient ! Sans compter qu'avant toute hospitalisation il faudrait prévoir des cours accélérés de jargon médical. Pas si facile, de parler avec les médecins !

Ils vous diront, par exemple, que le tout est de savoir si vous êtes face à une tumeur envahissant toutes les surfaces pleurales (pariétale, médiastinale, diaphragmatique et viscérale) d'un même côté avec l'une de ces atteintes supplémentaires : envahissement du fascia endothoracique, extension médiastinale, tumeur unique complètement résécable étendue aux tissus mous thoraciques ou envahissement non transmural… Si vous ne comprenez pas ça, autant dire que vous ne comprendrez rien à ce qui vous arrive. Et que vous n'êtes pas sorti de l'auberge…

Même mon correcteur orthographique y perd son latin ! À croire que leurs ordinateurs sont équipés de programmes spéciaux !

Mais je m'en fiche : cela ne m'empêche pas de demander à consulter mon dossier et à discuter des traitements qu'on me donne. C'est que je suis comme ça, moi !

Mon père et moi, nous entrons dans la salle d'attente du CMU. C'est moche, moche, moche. Je suis contente d'être soignée par le docteur L à Notre-Dame. Pendant que mon père apprivoise le distributeur de cafés, je surveille les allées et venues de l'infirmière de l'accueil. Mais est-ce vraiment une infirmière ? Ou une simple standardiste ? Elle n'a même pas de blouse blanche !

Une porte, très moche elle aussi, s'ouvre. Apparaît un médecin à lunettes coiffé à la diable. Il prononce un nom. Un vieil homme se lève, bientôt suivi par sa femme.

Une autre porte s'ouvre. Surgit un deuxième médecin, plus jeune – environ trente-cinq ans. Serait-ce le docteur O ? Il se dirige droit vers la réceptionniste et lui montre le dossier qu'il tient ouvert entre ses mains. Puis, il rebrousse chemin et disparaît comme il est entré.

— Van der Stap ?

Je regarde autour de moi. Une troisième porte est ouverte. Je fais quelques pas. Je tends la main au troisième médecin. Le docteur O, c'est lui. C'est écrit sur le badge qu'il porte sur la poitrine.

Il se lance dans un discours confus et pas vraiment positif. Pour me cacher son malaise, il dessine mes poumons avant de tracer de grosses flèches qui indiquent les endroits à irradier. Puis il me dirige vers la balance. Cinquante-cinq kilos. Un de moins que le mois passé.

— Tout n'est pas encore clair. Ce sera difficile, ça, c'est sûr. Je vais prendre contact avec mes collègues de Rotterdam et d'Utrecht. Je suis curieux d'entendre leur avis sur la question. Le docteur N, de Rotterdam, est une sommité en la matière.

Je suis tout sauf tranquillisée quand je quitte son cabinet. Pourquoi faut-il toujours qu'ils s'acharnent à *ne pas* être encourageants ?

Assise dans un fauteuil que je connais bien désormais, je regarde autour de moi. Une jeune vendeuse du magasin de perruques est occupée à couper les pointes d'Emma. Je me fais une beauté.

En revenant du CMU, j'ai rencontré Martin, mon pote qui me prend en photo chaque fois que je me paie une nouvelle tête. Il allait s'offrir une petite bière.

— Tu veux que je t'emmène au magasin de perruques ? C'est parti !

Il déambule joyeusement. Parmi toutes les horreurs qu'il me rapporte, une jolie blonde. Alors, voilà : d'un côté, Emma. De l'autre, Pam. Pam la petite blonde de Hollywood… Pam la fraîche… Pam la charmante…

Ma tante me le dit souvent : chez une femme, tout est dans la coiffure ! Je suis bien de cet avis. Avec Stella, c'est la cata, mais Pam surclasse toutes les autres.

Martin roule en cabrio – un japonais, d'accord, mais comme c'est bon de laisser mes cheveux flotter au vent ! À chaque tournant, à chaque pont, à chaque bosse, Pam suit le mouvement avec naturel. Je suis impatiente de voir le visage de Rob ! C'est ma septième perruque en sept jours !

Mercredi 6 juillet 2005

Je lis la lettre qu'un père a écrite à ses trois enfants sur son lit de mort. Oh, comme je comprends son envie de coucher ses propres mots sur le papier ! De laisser un peu de soi, pour continuer à exister encore un peu, mais pas seulement dans l'esprit des autres, non : concrètement. J'ai peur de cesser d'exister. Et j'ai peur que plus personne ne me prenne jamais dans ses bras.

On dirait que mon angoisse augmente de façon exponentielle au fur et à mesure que j'avance dans les cinquante-quatre semaines. Je peux passer des heures à imaginer mon père lisant le discours qu'il prononcera à mon enterrement…

J'ai peur que ces conneries de cellules cancéreuses tiennent bon, malgré tous les traitements. J'ai même encore plus peur qu'au début, quand tout était encore dans le flou et qu'on ne savait même pas s'il serait possible de me soigner ou si j'allais mourir.

Je voudrais que tout soit déjà fini.

Parfois, j'essaie de chasser ma peur en pensant à toutes les âmes qui se sont déjà envolées. Avec cette manière de voir les choses, on se dit qu'on n'a pas à craindre la solitude dans l'autre monde. En fait, c'est ça, pour moi, le plus grave, dans cette maladie : la solitude. Pourquoi ne meurt-on pas avec les gens qu'on aime ?

Je navigue sur le site de mon ami Lance. Je lui achète cent bracelets jaunes pour soutenir son action contre le cancer. Indirectement, je lui dois beaucoup – énormément, même. Alors, voilà : je claque cent dollars. Si ça peut venir en aide aux personnes qui souffrent d'un cancer – et à moi, par la même occasion... Dix, ça m'aurait paru ridicule, et deux cents, ce n'est pas possible : je n'ai pas cet argent. D'un clic de souris, je confirme ma commande. Voilà, c'est fait !

Attablés à la Tavola, Rob et moi, nous buvons un verre de vin avec le patron, Salvatore. Ce jour entre dans mon journal comme celui où je glisse le bracelet *Live Strong* de Lance au poignet de mon amour. Un peu comme si je lui passais la bague au doigt... *Live Strong* : Vis de toutes tes forces... Une phrase qui va peut-être m'aider à mourir. Et qui va aider ceux qui me sont chers à continuer à vivre...

Je regarde Salvatore droit dans les yeux. Lui aussi porte un bracelet pour continuer à vivre. Son fils Marco est mort d'une leucémie en novembre. Il avait dix-sept ans. Son chagrin est le mien, et mon chagrin est le sien, maintenant que nous partageons ce verre de vin.

J'entre dans le lit et je me pelotonne contre Rob. Il s'est couché avant moi, il y a une petite heure. J'ai peur, mais je ne dis rien. Que dire, de toute manière ? Sans compter que les « Bah ! Tout finira par s'arranger ! » ne me sont d'aucune aide.

Dis, est-ce que je vais mourir à cause de cette saloperie de cancer ?

Jeudi 21 juillet 2005

Avant de subir les rayons, je vais m'offrir des VACANCES ! Youhou ! Quinze jours de soleil, de rosé de Provence, de bikini, de jambes bronzées et de pieds nus dans des sandalettes ! Sans un seul toubib à l'horizon ! Quinze jours avec Annabel ! Youhou !

À cinq ans, j'ai mis un grand magasin sens dessus dessous pour un doudou. Son nom était écrit sur son collier : *Minou*. Eh bien, cela fait maintenant seize ans que Minou dort avec moi. Plus longtemps que n'importe quel petit ami !

Il a beaucoup voyagé avec moi, il m'a même accompagnée au sommet de l'Himalaya ! Au milieu des canards mandarins, des yaks, des Chinois et des

Tibétains, il ne savait pas très bien quoi penser de ces plaines verdoyantes, de ces lacs turquoise et de ces sommets enneigés. Il faisait froid, là-haut, pour un chat qui n'avait jamais quitté la civilisation occidentale. Mais, depuis, Minou a appris à s'endormir sous la tente en Iran, à la belle étoile au Népal, dans un bateau au Cachemire et sur une peau de mouton chez les nomades. Désormais, il est prêt à partir à tout moment à l'aventure.

Mais Minou doit encore patienter plusieurs nuits à Notre-Dame avant de reprendre la route. « Plus que cinq fois dormir ! murmure-t-il à l'oreille des infirmières. Plus que cinq fois dormir ! »

Samedi 23 juillet 2005

On m'a renvoyée ! Oui, on m'a renvoyée de l'hôpital ! Le document que j'espérais tant est là, sur la table. Je le vois depuis mon lit. J'ai dormi ma dernière nuit à l'hôpital ! Et ma dernière matinée est déjà bien entamée.

Combien de nuits ai-je dormi ici ?

Trente-cinq.

La dernière poche pendouille à mon ami l'échalas.

Les six premiers mois, ou, pour être précise, les vingt-sept premières semaines, sont passés. Je regarde mon pied à intraveineuse avec des sentiments mitigés. Il demeure silencieux.

Je ne logerai plus jamais au C6 ! Je ne puerai plus jamais l'hôpital ! À partir d'aujourd'hui, je n'aurai plus qu'une chimio d'entretien en traitement de jour. Et pourtant, je n'ose pas dire : « Plus jamais ça ! »

Et si ma maladie ne guérissait jamais tout à fait ? Et si je mourais ici à petit feu ?

Adieu C6, bonjour Rotterdam ! Là m'attend un nouvel hôpital, là m'attendent de nouvelles infirmières. Est-ce que je vais manquer à Bastiaan, comme tous les autres patients qui m'ont précédée ?

Lundi 25 juillet 2005

Dans mon assiette, des coquillages, quatre pinces de crabe, des frites et de la mayonnaise. À côté de moi, mes parents. Tout autour de moi, la vue panoramique depuis l'hôtel New York : la mer, quelques bateaux et, là-bas, de l'autre côté, le vieux port. Une longue journée m'attend dans l'enceinte de l'hôpital de Rotterdam. Mais d'abord, il faut manger. Dans trois semaines, rien ne sera plus pareil.

Les radiothérapeutes m'attendent, avec leurs équerres, leurs compas et leurs autres instruments de mesure. Comparé à tous les médecins que j'ai déjà rencontrés, le docteur N est un don du ciel. Dès la première minute, il se montre *concerné*. Il n'est pas pressé, il ne fait pas son important, il est aussi distrait, adorable et intelligent que le professeur Tournesol. Il n'a pas peur non plus de me taper sur l'épaule dans un geste d'encouragement. Je décide sur-le-champ de l'inscrire dans ma *mailbox*.

Timide et angoissée, je prends place en face de lui. Après ma conversation avec le docteur O au CMU, je suis passablement découragée.

—J'ai regardé vos radios. Je dois reconnaître que ça ne va pas être de la tarte.

— …

— Les tumeurs se trouvent dans une zone difficile à irradier : ce ne sera facile ni de les atteindre ni de leur envoyer une quantité suffisante de rayons.

— …

— Je ne veux pas vous décourager. J'ai déjà guéri plusieurs enfants, mais, ici, je n'ose pas m'avancer.

— …

J'ai les mains moites. Ça picote.

— Nous commencerons par un scanner la semaine prochaine, poursuit le docteur N, pour que je puisse disposer de toutes les données le plus rapidement possible. Nous allons mouler votre thorax pour vous fabriquer un écran protecteur que vous porterez durant les séances de rayons.

— Le traitement va durer combien de temps ?

— Je ne pourrai répondre à cette question que quand j'aurai pu faire tous mes calculs, dit le docteur N, comme s'il s'apprêtait à dénombrer toutes les étoiles du système stellaire.

Je suis à la fois rassurée et inquiète.

— Pourquoi est-ce si difficile ?

— Nous devons tenter d'exposer vos poumons le moins possible. Pour cela, nous allons envoyer des rayons sur les tumeurs depuis différents angles, mais je ne sais pas encore si nous réussirons à tout avoir.

— Bien sûr que si.

— Ah ! J'aime cette réaction ! dit le docteur N en souriant gentiment.

Il a une voix douce et calme. Il me paraît très humble, très humain. Cela existe donc, des médecins qui ont du tact !

— Nous commencerons le 8 août.

Mon poumon droit rendra l'âme, mon foie n'ira guère mieux et mon œsophage en sera tout retourné... Comme me l'explique le docteur N, la radiothérapie rappelle la solution barbare qu'on employait au Moyen Âge : on brûle ce qui dérange ! À chaque nouvelle séance, mes cellules recevront une gifle en pleine figure. Après ça, elles essaieront de reprendre le dessus. Le but du jeu, c'est de tuer les cellules cancéreuses tout en épargnant un maximum de cellules saines. Apparemment, mon corps fera le tri lui-même. Mon poumon gauche prendra le relais, et mon foie fabriquera de nouveaux tissus...

J'attends que mes parents aient quitté le cabinet pour remercier le docteur N pour son geste d'encouragement sur mon épaule. Je m'en remets entièrement à ses calculs. Les festivités vont donc commencer le 8 août : la fatigue, la pneumonite, la peau râpeuse, la fièvre, la toux, la douleur à la déglutition, les antalgiques... Je n'aime pas les antalgiques. Je n'aime pas les effets secondaires. Je n'aime pas les médicaments.

Je quitte le docteur N dans la peau d'une petite fille. La jeune femme de vingt-deux ans aux mille et un projets a complètement disparu.

Une heure plus tard, je suis couchée sur le dos, et deux hommes s'affairent autour de moi. Avec un seau de plâtre, des truelles et des pinceaux, ils fabriquent un moule de mon thorax.

— Attention, c'est un peu froid !

Je dois rester immobile jusqu'à ce que ça prenne. C'est quelque chose que je sais faire, ça, rester immobile. J'ai eu le temps de m'entraîner au service de radiologie de Notre-Dame.

Maman est près de moi.

— Tu es belle ! dit-elle en souriant.

C'est sûr, avec les seins dans le plâtre et ma boule à zéro, je dois être géniale. C'est *Star Wars*, ce truc.

— Je peux te prendre en photo ?

Oui, elle peut. Je suis curieuse de voir le tableau. Maman s'empare de son cellulaire. Clic ! Voilà, c'est fait.

TROISIÈME PARTIE

Mardi 26 juillet 2005

Je suis à Nice ! Je parade le long de la promenade des Anglais... J'alterne le thé à la verveine et les grands crèmes tout en consultant la carte. Envie de me gâter... Car à Nice rien n'est trop ceci ni trop cela. Nous commandons des coquillages et des huîtres. De toutes les sortes et de toutes les tailles.

Plage de Pampelonne. Je fouille mon sac à la recherche de mes lunettes de soleil et je me lance. Quelle histoire ! Avec un parasol de cinq mètres sur trois et un stock de protection solaire indice mille, je me fraie un chemin entre les corps hâlés. Ici, on se contrefiche des effets nocifs du soleil : on paie pour bronzer jeune et beau.

Pam flotte au vent. Je ne pensais pas que j'aurais encore l'occasion cet été de vivre cette sensation que j'avais tant appréciée dans le cabriolet de Martin. J'imagine que le gars à côté de moi est un type qui a davantage de succès en affaires qu'en amour. Ou un Russe andropausé et solitaire, comme on en voit tant dans le Midi.

La mer est d'un bleu limpide, exactement comme le ciel. Cela fait plusieurs jours que je cherche la ligne d'horizon.

Et le soleil tape dur, très dur. Oups ! Il faut que je fasse attention et que je me remette à l'ombre. Si Hanneke, l'infirmière, venait à passer par là (je sais qu'elle prend ses vacances dans le coin), elle ne serait pas contente de me voir m'exposer ainsi.

Dissimulée sous un énorme chapeau, mes lunettes à la Onassis et ma perruque, je me tartine une fois de plus de crème indice mille. Ah, comme ce petit soleil du soir est agréable ! Annabel cuit à côté de moi. Si je veux prendre un peu de couleur, je vais devoir jouer de l'autobronzant. Partout, je vois des avant et des après-soleil qui me promettent un bronzage uni et parfait. J'ai fait une croix sur tout ça...

Je me laisse flotter au gré des vagues, j'admire les bateaux. Les voiles sont d'un blanc éclatant, la mer est toujours d'un bleu azur. Je regarde dans les reflets de l'eau, et je n'y vois rien qui me rappelle Notre-Dame. Je regarde à l'horizon, là où se rejoignent le bleu de la mer et le bleu du ciel, et là non plus je ne vois rien qui me rappelle mon cauchemar. Je ferme les yeux. Là non plus, je ne vois rien. Je suis loin de tout cela, très loin. J'ai tout oublié. Quand je rouvre les yeux, je ne vois que des voiliers, des voiliers et des voiliers. Et rien d'autre.

— Eh ! Qu'est-ce que c'est ? ! s'exclame Annabel en montrant quelque chose qui s'éloigne au ras des vagues.

Je suis couchée sur mon matelas. J'écoute les vagues.

— Tu n'avais pas une perruque ?

— *Shit !* C'est Blondie !

Le ciel rosit peu à peu, les premiers voiliers rentrent au port, les lumières s'allument une à une.

Nous voici, en talons hauts. On nous accueille dans le jardin d'un richissime producteur américain sur les hauteurs de Saint-Tropez. Nous sommes arrivées par hasard au bon endroit et au bon moment.

— Champagne ?

— Je préférerais un jus de tomate avec une rondelle de citron ! Merci !

Entre les Russes aux longues jambes et les Arabes toutes menues, je prends mes aises. Quelle belle fête ! Je danse sans plus penser à rien. Je me sens parfois un peu décalée, c'est vrai, quand je sens la sueur de la chimio rouler dans mon dos et quand ma perruque fait délicieusement des siennes. Heureusement, mon décolleté a encore la même couleur du côté gauche et du côté droit. Je demanderai au docteur N de tenir compte de ce facteur dans ses calculs.

Ces messieurs-dames sont venus dans les plus belles limousines et les yachts les plus chers de la Côte d'Azur… Voici Paris Hilton et toute une flopée de naïades plus bronzées les unes que les autres… Des jambes interminables, des sandales abracadabrantesques, des toilettes sorties de *Vogue*. Un nombre incalculable de femmes divinement belles et quelques beaux mecs… Un vieux cow-boy de Los Angeles… Catherine Deneuve, Ivana Trump et Natalia Vodianova… Derrière nos lunettes noires, nous sourions.

Deux heures du mat'… Nous déclarons forfait. Moi à cause de mes valeurs sanguines qui doivent être bien basses, Annabel à cause de ses talons hauts. Nous nous asseyons sur l'escalier qui mène au balcon, histoire de profiter encore un peu de la magie du spectacle.

Mercredi 10 août 2005

Rob me prend dans ses bras, par-derrière, et me serre très fort. Nous sommes dans le rayon santé du supermarché, reconnaissable à son nombre élevé de préparations culinaires et de Chinois. Je suis en train de lire une brochure sur la ménopause. Les bouffées de chaleur qui y sont mentionnées ressemblent étonnamment à celles que je ressens depuis deux ou trois semaines.

« La ménopause intervient en général entre quarante-cinq et cinquante-cinq ans. Cette période se caractérise par la modification de la production hormonale. Chez plus de la moitié des femmes, elle provoque des changements physiologiques et émotionnels : bouffées de chaleur, migraine, insomnie, hypersensibilité, nervosité et déprime. »

Aïe… Voilà donc ce qui arrive aux femmes qui cessent d'avoir leurs règles… comme moi ! Ménopausée à vingt-deux ans ! Au secours ! D'après mon guide homéopathique magique, l'anis stimule les menstruations. Nous en achetons un sac entier.

Vendredi 12 août 2005

— Oh ! Comme j'ai chaud !

— Vous voulez une pilule ? demande Rita. Les miennes sont meilleures ! Ah, ah !

Je suis assise derrière elle, sur la banquette en cuir de sa Mercedes. Je me demande si le docteur N, le docteur L et le docteur K ont signalé les bouffées de chaleur parmi les effets secondaires possibles du

traitement. Et si l'étape suivante n'est pas la stérilité... Rita prend des cachets pour ne plus avoir de
bouffées de chaleur, mon traitement à moi m'en
donne. Y a pas de justice. Je veux encore bien suer
sur sa banquette arrière, mais pas sur la table
d'examen du docteur K. Après tout, j'aurais plutôt
l'âge de prendre la pilule pour ne pas tomber
enceinte !

Rob est assis à côté de moi. Lui aussi, il transpire, mais c'est à cause du soleil et des vodkas
d'hier.

— Suivez les flèches jaunes, s'il vous plaît.

Rita, le meilleur chauffeur de taxi d'Amsterdam
et des environs, referme doucement sa fenêtre et
suit les flèches jaunes comme on le lui a demandé.
Elle me conduit à ma radiothérapie. Tous les jours
pendant sept semaines, je dois faire ce trajet de trois
heures (Amsterdam – Rotterdam – Amsterdam) pour
dix minutes de rayons. Je papote avec Rita, je somnole
sur la banquette arrière. Mes parents m'accompagnent régulièrement – si cela ne tenait qu'à eux, ce
serait tous les jours – et, parfois, un ami ou une
amie, mais ce que je préfère encore, c'est quand j'y
vais toute seule avec Rita.

À côté de moi, en blouse blanche, Kevin. Kevin est
toujours aussi gentil et jamais trop fatigué pour avoir
une conversation avec moi. Je l'entends penser d'ici :
*Il faut que je lui change les idées et que je la calme, la
petite.*

Il est charmant, y a pas à dire, mais ça ne va pas.
Car nous sommes en plein *Star Wars* et parce que je
joue le rôle principal. Des rayons laser verts, des
petites lumières rouges et un bras géant de la taille

157

d'une vache marine tournent autour de mon crâne chauve. Je nage en pleine science-fiction. Je suis couchée sur une table en bois et en métal de quarante-cinq centimètres de large. Mon torse nu – Dark Vador est passé par là – est recouvert d'un bouclier en plastique transparent.

Quand je suis couchée dans cette position, mes seins naturels dépassent à peine le troisième, en aluminium, qu'on m'a placé récemment. Mais bon, c'est *Star Wars*, oui ou non ? Tous les projecteurs sont braqués sur moi. Quelle gloire ! Quelle victoire ! C'est tout de même Anakin qui gagne, non ?

Mes alliés fixent le bouclier à la table et se dirigent vers l'appareil mugissant avant de disparaître et de me laisser seule à mener mon combat. Car c'est moi qui joue le rôle principal et c'est moi qui frapperai le coup fatidique. C'est ce qui est écrit dans le scénario. Enfin, dans ma version…

Un mugissement terrible retentit. La vache marine est prête. Elle s'avance lentement vers moi, pousse des gémissements électroniques, m'envoie des rayons translucides. L'ennemi en moi est en train de cramer, mais je sens la douleur progresser jusque dans mes bras. Pleinement concentrée, je suis chaque mouvement du mammifère d'acier autour de moi. L'instant d'après, je sombre dans mes pensées, les yeux fermés.

Quand la séance est finie, je sors du studio pour retrouver d'autres héros intergalactiques dans la salle d'attente. Chacun suit son scénario, chacun a sa version. Je remarque un gamin d'environ huit ou neuf ans. Il dégage quelque chose de dur et d'émouvant à la fois. Lui aussi me fait penser à un personnage de *Star*

Wars, mais c'est sans doute à cause de sa boule à zéro. Je l'entends dire à un inconnu en blouse blanche qu'il ne veut plus jamais revenir.

— Le grand appareil fait mal, explique-t-il de sa voix haut perchée.

Je sens les larmes me monter aux yeux. Ah, si je pouvais lui dire que ce n'est qu'un film ! Que c'est Obi-Wan Kenobi qui se cache sous cette blouse blanche et que les gentils gagnent toujours ! Qu'il s'en sortira bientôt et qu'il retournera jouer avec ses copains. Mais chacun son film… Je ressens un besoin irrépressible d'entrer en contact avec cet enfant, mais je ne sais pas comment m'y prendre. Quelqu'un l'appelle. Nous disparaissons chacun derrière une porte.

Lundi 29 août 2005

Je marche sur la plage. Le sable mouillé s'introduit entre mes orteils. C'est devenu un jeu entre la mer et le sable : l'eau froide me rince les pieds, le sable s'y recolle aussitôt. Je marche de droite à gauche, d'est en ouest, je crois, mais non, c'est moins simple que ça, me dis-je en voyant apparaître les hauts fourneaux d'Ijmuiden à ma gauche. Ben, le chien de Jan, court à quelques mètres de moi, au rythme de Rob et de sa balle de tennis. J'ai la tête ailleurs : je ramasse des coquillages. Je me penche avec enthousiasme dès qu'une vague se retire, avant de verser mes trésors multicolores dans la chemise jaune de Jan que j'utilise comme un sac. Je trouve même plusieurs coquillages avec un trou, dont un est assez grand pour que je l'enfile sur ma chaîne et qu'il rejoigne ainsi celui que j'ai rapporté de France. Wijk aan Zee et la Côte d'Azur...

Je rapporte des coquillages de toutes mes promenades sur la plage. Je les dépose partout dans la maison, surtout dans la cabine de douche ou près de l'évier. Je décore les plus grands d'une petite bougie ou j'en fais des bijoux. Wijk aan Zee et la Côte d'Azur... Comme j'aimerais vivre dans une maison au bord de la plage et avoir plein de coquillages dans mon jardin !

Rob, Jan et moi, nous essayons d'aller à la mer plusieurs fois par semaine. Cette fois, ça a marché. Le vent claque, les cheveux noirs d'Emma volent dans tous les sens. Au déjeuner, je mange une salade au fromage de chèvre et aux tomates en examinant mes coquillages. Rob cherche la meilleure position pour bronzer. Jan fouille dans son sac en plastique, où il a rassemblé plusieurs journaux, pendant que Ben embête les voisins.

Je vais aux toilettes pour me démêler les cheveux avec l'antique brosse en argent de ma défunte grand-mère – je n'en connais pas de meilleure pour les cheveux artificiels.

Rob me rejoint, m'embrasse sur la joue et me tend mon sac qui émet un drôle de bruit : téléphone ! C'est un journaliste du *NRC Handelsblad*. Il aime beaucoup mes articles. Il les trouve « puissants », c'est le mot qu'il utilise. Et mes perruques l'intéressent beaucoup.

— Nous devons faire quelque chose ensemble, mais envoyez-moi d'abord d'autres textes !

Je raccroche, folle d'enthousiasme.

Rob et moi sommes assis à la table de la cuisine. Nous parlons de l'avenir. L'avenir ! Hum, drôle de mot. Nous sommes très, très heureux ensemble, mais nous vivons plus comme des amis que comme des amoureux. Étrange situation où seul importe ce qui se passe aujourd'hui. Et, aujourd'hui, Rob est tout ce que je veux. Mais quand j'ai le courage de penser à l'avenir, je me rends bien compte que lui et moi, ça ne peut pas tenir. Je l'aime, je l'aime énormément, je me sens heureuse et en sécurité avec lui. Ça va si bien ! En plus, nous nous entendons tous les deux à merveille avec Jan et Jochem. Pourtant, nous ne nous sommes jamais véritablement engagés l'un vis-à-vis de l'autre, et cela n'arrivera pas. C'est un choix, selon lui, et nous préférons le reporter à un moment où nous aurons davantage de certitude quant à mon avenir – et donc au nôtre.

Je continue à flirter. De préférence avec des hommes mariés ou compliqués, comme je m'en rends compte par la suite. Et qui ont dépassé les trente-cinq ans.

Et je continue à imaginer ma vie avec Jur, même s'il est toujours resté sur le ton de l'amitié avec moi. Et qu'il ne m'a jamais rien laissée espérer.

Quand je pense à la longue série de petits amis que j'ai eue, un mot me vient à la bouche : trouble. Je tombe facilement amoureuse de plusieurs hommes à la fois. Cela explique peut-être le côté éphémère de ces relations. Ou alors, cela veut dire que je n'ai encore jamais connu le grand amour. Je veux toujours être partout à la fois, de peur de rater quelque chose. À quinze ans, je flirtais déjà avec des publicitaires qui m'emmenaient au Club de Ville plutôt qu'au Paradiso. Ou je dansais avec des trentenaires au Roxy au lieu d'aller au Melkweg avec des ados de mon âge. Je ne vois qu'une seule raison qui me pousse à sortir avec des hommes plus âgés : l'excitation. J'ai vite compris le pouvoir de mes grands yeux et de mes lèvres pulpeuses. Je me suis ainsi tapé un artiste déjanté, un Iranien possessif, un coureur cycliste qui fumait des joints et un cheik de Delhi...

Je vise haut, et c'est tant mieux, car j'ai la folie des grandeurs. J'ai fait le compte de ce que j'avais dépensé cette année. Et je ne parle pas de mes chemisiers en soie ni de mes escarpins de velours. Non, je parle de mes injections de leucocytes à mille trois cent quarante-quatre euros l'unité, de mes cachets à trente-cinq euros pièce et de mes CT-scans à huit cents euros la radio. J'en ai eu cinq, sans compter l'IRM. Il faut encore ajouter à cela mes hospitalisations à neuf cent soixante-sept euros la nuit. Bref, un beau budget !

Plus j'y pense, plus je trouve que j'aurais des raisons de m'entourer d'un bon conseiller fiscal ou de quelqu'un du genre de cet Iranien de Londres qui m'avait fait prendre l'avion à ses frais sans sourciller. J'en ai profité, je ne voulais pas rater ça. Tout était prêt : le champagne, la compagnie, la table au club Boujis... Mais, ensuite, il avait eu ce regard jaloux quand je m'étais mise à danser seule sur la piste. Plus jamais ça...

Malheureusement, Rob aussi a des vues ailleurs. Il dîne souvent avec une autre femme – et prolonge souvent ces tête-à-tête. Elle a de très longues jambes, et moi je ne mesure pas plus d'un mètre soixante et onze.

C'est moi qui ai encouragé Rob, mais je préfère ne pas entendre le prénom de la demoiselle – je ne veux même rien savoir à son sujet. Évidemment, nous ne pouvons pas nous empêcher d'en parler de temps en temps. Parfois parce que je suis trop curieuse, parfois parce que Rob pense que nous sommes amis et qu'entre amis on peut parler de tout.

Mercredi 14 septembre 2005

C'est le plus long embouteillage des Pays-Bas et nous sommes coincés dedans. Trajet Notre-Dame/Erasme, de la chimio à la radiothérapie. Plus le voyage est long, plus je dors, c'est l'avantage. Après une demi-heure de papotis, je m'endors sur les genoux de ma frangine, je n'en peux plus. Je ne veux plus jouer dans *Star Wars*, je ne veux plus être courageuse. Je suis toute raplapla. Je suis filiforme, j'ai les joues creuses, le regard flou, la peau de plus en plus terne. Et je suis fatiguée… fatiguée !

J'ai déposé Pam sur la banquette. Du bout des doigts, ma frangine me caresse doucement la peau du crâne. Elle me chatouille les bras et le dos pendant toute la durée du trajet, car elle sait que j'adore ça.

Tout à coup, je sens quelque chose de chaud couler entre mes jambes. Je mets précipitamment ma main pour arrêter le flux.

— Frangine ?

— Oui ?

— J'ai fait pipi !

— Oh ! *Shit !*

— Ça ira, mon froc est mouillé, c'est tout. C'est déjà fini.

Jeudi 15 septembre 2005

Nous nous sommes rencontrés par hasard, dans une ville étrangère. Il est en voyage d'affaires, je suis en chasse. Par un curieux concours de circonstances, je suis entrée dans le hall de son hôtel. Le genre d'hôtel où on voudrait rester des mois sans jamais penser à regagner ses pénates. Il est installé au bar, avec un groupe d'hommes en costume-cravate. Ils boivent, ils fument le cigare, ils rient. Ils sont détendus et avides d'aventure.

J'entre dans le hall. En quête de l'adresse d'un restaurant que je cherche en vain depuis dix pâtés de maisons. J'ai les pieds en feu, et cela ne fait pourtant qu'une heure que je marche dans mes nouveaux escarpins. Ma robe trop étroite remonte d'une manière inconvenante. Je sens que mon arrivée crée des remous du côté de ce groupe d'inconnus assis au bar. Je jette un regard prudent et timide dans leur direction. Ou plutôt dans sa direction, car, à ce moment-là, je reconnais le docteur K parmi tous ces gens.

Certains hommes éveillent mon désir. Un désir à l'état pur. Le docteur K est de ceux-là. Je m'arrête, je penche la tête, je jette mes cheveux bruns ondulés en arrière – tout est possible. Je souris, consciente de ma féminité, et je m'avance lentement vers lui. Les préliminaires sont terminés. La proie est captive.

Très concentré, mais comme si c'était un jeu, il me déboutonne tout en gardant ses yeux dans les miens. Mon soutien-gorge en dentelle noire apparaît. Une main plonge vers un sein tandis que l'autre ouvre adroitement le fermoir dans mon dos frémissant. Mes tétons sont durs sous ses doigts. Il les embrasse, puis m'embrasse dans la nuque, puis m'embrasse à pleine bouche. Toujours plus vite, toujours plus fort. Je suis excitée. J'ai soif de lui. Il me soulève, me dépose délicatement au milieu de son lit. Nous disparaissons sous ses draps, toute la nuit, jusqu'à ce que, épuisés de sexe, nous tombions endormis, les membres emmêlés. L'après-midi, ce sont les bruits proches de la ville étrangère qui nous réveillent.

Romantique comme je suis, je prolonge cette nuit de cinq matins, de cinq après-midi et de cinq soirées au cours desquels nous continuons à jouir de la présence de l'autre. Au petit déjeuner, durant nos escapades culturelles et nos longs dîners aux chandelles. Et surtout la nuit, quand nous sommes seuls au monde dans ses draps.

— Mademoiselle Van der Stap ?

Je lève la tête. Mes yeux plongent dans ceux du docteur K.

Réveille-toi, maintenant ! Arrête de fantasmer !

Penché en avant, les mains croisées, il me regarde en clignant de ses yeux bleus. Je rougis. Je sens une nouvelle bouffée de chaleur m'envahir et déposer des perles de sueur dans mon dos. Ah, si j'avais les pilules de Rita avec moi !

— Que puis-je pour vous ?

Oh ! Si tu savais !

— Un petit test des poumons ?

Je suis en visite chez le docteur K – « Inspirez, expirez… » – et je soupire d'aise…

J'imagine sa vie en dehors de l'hôpital. Comme tous les autres hommes, et peut-être encore plus en raison de la portée morale de son travail, il doit probablement rentrer chez lui en emportant certains de ses patients dans ses pensées. Il se peut qu'il en évacue le plus gros sur le chemin du retour, mais que certains l'accompagnent jusqu'au moment où il se met au lit. Je trouve ça follement palpitant, pour ne pas dire plus, qu'il m'emmène ainsi avec lui sous les couvertures. Mais, si c'est le cas, à quoi songe-t-il ? Se dit-il, submergé par la compassion, qu'il n'y a pas de justice sur terre, ou est-il hanté par ces yeux polissons qui le fixent intensément ?

Oh, Pam ! Te voilà encore en train de draguer ! Tous ces candidats potentiels, dissimulés sous leur blouse blanche ! Les premières semaines, je voulais être examinée par la majorité des toubibs de l'hôpital. À l'époque, la blouse blanche m'impressionnait encore beaucoup. Maintenant, quelque six mois plus tard, c'est fini, tout ça. Je commence par regarder si leur pantalon tombe correctement sur leurs chaussures. Dès que j'aperçois un centimètre de chaussette, je regarde ailleurs et j'attends le suivant.

Lundi 10 octobre 2005

Ce soir, je viens de terminer la lecture de l'histoire d'Oscar. Oscar a dix ans. Il vit à l'hôpital pour enfants. Il a une leucémie. Toute sa vie se déroule entre les quatre murs de cet hôpital. C'est là qu'il s'endort, le soir, avec d'autres enfants, et c'est là qu'il se réveille, le matin, parmi ces mêmes enfants. Comme moi, Oscar a une infirmière préférée. La sienne s'appelle Mamie-Rose. C'est elle qui propose à Oscar d'écrire des lettres à Dieu pour lui poser ses questions. Oscar se fait ainsi un nouvel ami. Sans s'en rendre compte, il trouve lui-même les réponses à ses questions.

Oscar a plusieurs amis dans son aile de l'hôpital. Einstein et Pop Corn sont ses préférés. Il dit à propos d'Einstein qu'on l'appelle ainsi non pas parce qu'il est plus intelligent que les autres, mais parce qu'il a la tête qui fait le double du volume normal. Pop Corn est là pour maigrir. D'après Oscar, le seul vêtement qu'il parvient encore à enfiler est un sweat-shirt de football américain – et encore : les rayures ont le mal de mer.

Oscar est également impressionné par les filles qui vivent dans son service : la Chinoise et Peggy Blue. La première porte une perruque noire qui rappelle une Chinoise, la seconde a la peau bleue. Quant à Oscar, on l'appelle Crâne d'Œuf.

Chaque jour, Mamie-Rose passe de longs moments à son chevet. Elle lui raconte de belles histoires et des anecdotes du temps où elle était championne de catch, mais elle lui parle aussi de la vie, de la vieillesse, de sa maladie et de la mort. Elle apprend à Oscar à envisager sa mort inéluctable comme un élément de sa vie et lui explique qu'un jour elle aussi elle mourra, comme lui dans douze jours. Car c'est le laps de temps que les médecins ont accordé à l'enfant : douze jours. C'est grâce à Mamie-Rose qu'en l'espace de ces quelques journées le jeune garçon de dix ans va devenir un vieillard centenaire en paix avec l'idée de ne plus se réveiller.

Je suis certaine qu'Oscar a existé et peut-être même est mort si jeune afin de transmettre cette histoire. Aux êtres qui lui sont chers, à ses amis de l'hôpital pour enfants, à moi et à un tas d'autres Oscar, qui sont, malgré leur jeune âge, de grands héros. J'ai trouvé mon héros.

Jeudi 20 octobre 2005

En battant des paupières, je sens mes cils toucher l'oreiller. Mes cils ! Tout repousse : mes cils, mes sourcils, un premier duvet sur mon crâne et, malheureusement, mes poils aussi… Je me lève pour farfouiller dans le fond de ma trousse de toilette, à la recherche de mon mascara.

Je n'ai pas faim pour le petit déj, mais c'est normal. Envie de rien.

Malgré tous nos doutes, nous partons quelques jours ensemble, Rob et moi. Au Luxembourg, pour la simple raison que c'est un pays affreux et que nous voulons examiner d'un peu plus près les Allemands manqués qui l'habitent. Je prends des centaines de photos : des feuilles d'automne, Rob, des kiosques, Rob, un point de vue, encore Rob, etc.

Le matin, je quitte l'hôtel en Pam, pour revenir le soir en Emma. Le réceptionniste y perd son allemand.

— *Where's your other girlfriend ?* demande-t-il en regardant Rob pensivement. *You left her in town ?*

Nous mangeons des coquillages, nous buvons du vin rouge, nous caressons les chiens dans la rue. L'Akita Inu est désormais notre race préférée. Nous allons même danser dans une discothèque locale.

De retour du Luxembourg, je montre nos photos, folle de joie, à la sœur de Rob : Rob et Pam au petit déjeuner, Rob et Pam en voiture, Rob et Emma en promenade, Rob et Sophie au restaurant…

Nous sommes collés l'un à l'autre. Peut-être plus encore que d'autres ou que dans d'autres circonstances, parce que la Faucheuse rôde à tous les coins de rue. À cause de cette menace, je jouis à fond de chaque regard, de chaque plaisanterie, de chaque larme, de chaque caresse…

Je prends, je prends, je prends, jusqu'à en avoir plein les bras. Comme il est difficile de lâcher prise…

Dimanche 6 novembre 2005

Je suis en Espagne, chez Otto et Bébé. C'est la première fois que je la rencontre, elle, et je n'ai plus vu Otto depuis longtemps. Lorsqu'il a appris que j'avais un cancer, il a surfé sur Internet comme un malade et téléphoné à d'anciens confrères. Car, dans une autre vie, Otto a été médecin.

C'est un vieil ami de mes parents. Depuis qu'ils le connaissent, il s'est marié trois fois. La troisième fois est souvent la bonne, dit-on. Il est parti s'installer avec Bébé près de Grenade il y a cinq ans. Après avoir travaillé d'arrache-pied comme chirurgien, chirurgien esthétique et électronicien, il en a eu marre de la ville.

Bébé aussi s'est mariée trois fois. Et pour elle aussi, il semble que la troisième ait été la bonne. Elle a été top model dans les sixties, puis assistante dans la clinique privée qu'elle a dirigée avec Otto. On peut dire qu'elle a eu une vie trépidante. Si trépidante que, désormais, elle apprécie à sa juste valeur le calme dont elle et Otto ont su s'entourer. Ils vivent reclus, loin du monde civilisé. Le premier village est à cinq minutes en voiture, et il est vraiment tout petit, mais c'est justement pour ça qu'ils se plaisent bien là, dans cette simplicité. Un marché, un petit café, une église… La nature y est belle à couper le souffle : une vallée profonde, des montagnes et, à l'horizon, un bout de mer…

Chez eux, le temps n'existe plus. On se lève quand on a envie de se lever, on mange quand on a envie de manger, et on fait ce qu'on a envie de faire. C'est-à-dire pas grand-chose de plus qu'une virée au super-marché local ou une journée à Grenade. C'est la première fois que j'oublie l'écoulement des semaines. Je ne sais plus quel jour on est, mais j'ai encore une idée assez nette de la semaine dans laquelle nous nous trouvons. Juste pour voir défiler mes cinquante-quatre semaines. Quand je trace une nouvelle croix dans mon agenda, je me rends subitement compte que je sais de mieux en mieux apprécier ce que chaque jour m'apporte.

C'est peut-être parce que j'ai très peur de ce que l'avenir me réserve. Chaque soir, avant de m'endormir, je pense à mon enterrement. Je veux rêver à mon avenir, mais je n'y parviens pas. Je n'ose pas. Je pense à mon cercueil, au discours de mon père, à la toilette de ma mère… À ma sœur, qui fera de son mieux pour soutenir nos parents et pour s'effacer… À Annabel, qui embrassera mon cercueil… À Rob, qui a le cran d'aimer une femme qui souffre d'un cancer… À tous ceux que j'aime et qui m'aiment. À Marco et à Oscar, qui sont partis avant moi.

Otto et Bébé ont un passé médical : ça m'aide à me sentir parfaitement en sécurité chez eux. Nous discutons de mon dossier, que je montre à tous les médecins que je rencontre, de mes expériences avec les toubibs, de mes médicaments et des statistiques. Ils m'apprennent à repérer les inflammations de la vessie en faisant pipi dans un petit pot et à jouer avec les vitamines et les suppléments pour juguler les cystites.

Mardi 8 novembre 2005

La promenade m'a mis les joues en feu. Je me laisse tomber sur mon lit. Oscar et Lance veillent sur moi, depuis ma table de nuit. Le premier est mort, l'autre continue joyeusement à pédaler. Je pense à Jurriaan, qui a recommencé à courir d'hôpital (il fait son internat) en boîte (il est DJ le week-end). Plus je croise la route de gens qui ont traversé les mêmes épreuves que moi, plus je réfléchis à ceux qui en sont sortis et à ceux qui y sont restés. Je ne peux tout de même pas mourir ? Ce n'est tout de même pas possible que mon ex-petit ami galeriste perde une deuxième petite amie du cancer ? Ni qu'Annabel, encore si jeune, puisse perdre une de ses copines les plus chères, après Roxanne, qui est aussi morte beaucoup trop tôt ? Plantée devant le miroir, je m'interroge : *statistiquement, pourquoi faudrait-il que je sois justement la seule personne qui souffre d'une forme rarissime de cancer ?* D'accord, c'est un raisonnement bancal, mais l'argumentation vaut ce qu'elle vaut pour moi, car c'est à moi que ça arrive ! Et ça, aucune statistique n'y changera rien.

Je glisse les longs cheveux bruns de Lydia derrière mes oreilles pour qu'ils ne trempent pas dans mon assiette de poisson et de légumes. Aujourd'hui, Bébé m'a offert une perruque du temps où elle en portait encore. Nous sommes dans le petit restaurant d'Orgiva, le village le plus proche, et nous parlons de toubibs, de science et du résultat de ma biopsie auquel les anatomopathologistes donnent des noms différents.

« Il ne faut pas trop vous braquer sur le nom de votre maladie, avait dit le docteur L au tout début. L'important, c'est que le traitement soit efficace. »

Étant donné que ma maladie survient en général chez les enfants et que les diagnostics diffèrent selon l'angle duquel on examine les tissus prélevés à la biopsie et selon les spécialistes, j'appartiens au groupe des sarcomes indéfinis ou des « non-rhabdomyosarcomes ».

Otto n'exclut pas une erreur de diagnostic. Il va même plus loin : il pense que cette éventuelle erreur m'a peut-être sauvé la vie ! Il se pourrait, dit-il, qu'on me soigne « trop » et que j'aie failli ne pas l'être assez, auquel cas je serais malheureusement déjà morte ! Il y a trop de paramètres inconnus chez moi, estime-t-il, pour qu'on puisse déterminer avec certitude si je souffre d'une tumeur maligne ou bénigne. Autrement dit, avec moi, ce n'est ni blanc ni noir, mais, disons, gris… Quelle conversation passionnante ! J'adore parler avec les médecins !

Tout en faisant un brin de toilette, je m'efforce de laisser Oscar où il est, mais Marco me hante. Ce soir, en allant me coucher, je penserai à lui. Je penserai qu'il y a un an, jour pour jour, il est allé se coucher sans savoir que, le lendemain, il ne se réveillerait pas. C'était le 10 novembre 2004. Ses parents étaient à son chevet, au département de cancérologie pédiatrique de l'hôpital universitaire d'Amsterdam. Marco avait dix-sept ans et demi. Pas encore assez vieux pour réaliser son grand rêve, piloter des voitures, mais juste assez tout de même pour avoir eu l'occasion de rouler sur circuit.

Je vais prendre mes dernières gouttes – pour aider mes glandes surrénales qui, comme mon foie, ont été malmenées par les rayons – et ma vitamine C pour lutter contre une nouvelle cystite que je sens pointer le bout de son nez. Je vais éteindre la grande lumière et allumer la lampe de chevet : c'est juste ce dont j'ai besoin pour lire et pour écrire. Je vais prendre mon livre, une histoire dont je ne sais pas encore si elle me passionne au point que j'en lirai les dernières centaines de pages, et je vais me faire toute petite sous la couette pour me réchauffer le plus rapidement possible. Je penserai à mes parents, qui fêtent leur vingt-sixième anniversaire de mariage aujourd'hui. Puis j'ouvrirai mon livre, et immédiatement mes pensées s'envoleront vers Marco, qui comme moi et comme tant d'autres a connu cette maladie bien trop jeune. À la grande différence près qu'il n'a pas gagné la bataille et que moi, je suis toujours en train de me battre. Sa mort et ma vie nous séparent, mais elles nous lient tout autant. Car, quand j'ai peur, je pense à lui et à Oscar. Avec eux, je me sens en sécurité : ils sont là où j'irai peut-être très bientôt.

Je n'ai pas connu Marco. Je connais ses parents, Salvatore et Adèle. On peut penser que je n'ai pas le droit d'écrire à propos de quelqu'un qui ne m'a jamais vue. Mais j'aurais encore moins le droit de ne pas écrire sur lui et de l'oublier sous prétexte qu'il n'est de toute façon plus là. Car, pour moi, il est là, justement. Je conserve même sa photo dans mon portefeuille. Il fait partie de ma vie. Pour moi, il est vivant. Et si un jour son sort devient également le mien, mes pensées iront vers lui. Vers lui et vers Oscar, qui lui aussi est mort bien trop tôt, à dix ans. Nous formons un beau trio, me dis-je en souriant. Oscar, qui mettait toutes ses infirmières dans sa poche, Marco, qui manque à tous ceux qu'il a quittés bien trop vite, et moi, petite Nikita avec toutes mes perruques. Car elles partiront avec moi aussi, bien entendu.

Demain, j'irai à l'église du village après avoir acheté des légumes au marché et un collier de coquillages à une mama africaine habillée en rose fluo. Mes coquillages… La Côte d'Azur, Wijk aan Zee, Neria…

J'allumerai un cierge pour Marco, Oscar, Salvatore et Adèle. Et pour mes parents et ma sœur, qui ont été mis à rude épreuve ces dernières années. Je serai contente de trouver l'église vide, car je pourrai sans gêne y parler à Marco en chuchotant. Les larmes me monteront aux yeux quand je m'assoirai au premier rang, et cela m'étonnera, mais je deviens de plus en plus sensible et vulnérable. Je quitterai l'église en me tamponnant le visage.

Parfois j'oublie que je suis et que je reste la Sophie d'avant. Le cancer a changé mon corps, c'est vrai, mais je suis toujours moi. Je suis toujours la Sophie qui sait ce qu'est le chagrin d'amour. Cela fait quatre jours aujourd'hui que je n'ai pas vu Rob et que je n'ai aucune nouvelle de lui. Il a rencontré quelqu'un. Une fille qui le rend peut-être très heureux et dont il est amoureux. Bordel !

Je suis au traitement de jour du service d'oncologie. Le lieu où se jouent la vie et la mort. Cela relègue Rob au second plan. La maladie permet de relativiser. C'est déjà ça.

Devant moi, six fauteuils d'avion. Je suis assise dans le septième. Quand je suis entrée, ils étaient tous occupés. Maintenant, trois sont déjà libres. Judith est tout le temps là, c'est son gros avantage sur les autres infirmières. Elle est rapide, efficace dans tout ce qu'elle entreprend et spirituelle. Et elle a posé un bocal rempli de biscuits à la cuiller sur son bureau.

Mon médecin passe régulièrement voir ses patients, qui se plaignent de ceci ou de cela. Ou qui ont des questions à poser. Chez moi, c'est plutôt la règle que l'exception, ce qui fait de lui un personnage important dans le film qui se tourne à Notre-Dame le vendredi après-midi, toutes les trois semaines. Cela ne retire rien aux mérites de Judith, mais, après tout, c'est lui le médecin, non ? Le chef de tribu ! Se souviendra-t-il de moi quand je cesserai de venir ici ? Pensera-t-il encore à moi ? Regrettera-t-il que sa science n'ait rien pu faire pour moi ? Viendra-t-il se recueillir devant mon

cercueil ? Se demandera-t-il ce que je suis devenue ?
Conservera-t-il mon stylo sur son bureau ?

Mercredi 23 novembre 2005

— Tu es amoureux ?

J'ai posé la question qui me brûlait les lèvres. J'ai
peur. Je rassemble mes forces. Je sais que Rob va
m'envoyer une gifle qui m'abattra.

— Oui.

J'en reste bouche bée. L'instant d'après, je me
retrouve par terre, en train de chialer. Je me cache sous
un échafaudage. Le choc !

Ce moment absolument irréel se dissipe vite. La réalité reprend ses droits. Comme l'autre fois dans le
cabinet du remplaçant du docteur K. Mais je me rends
compte qu'aujourd'hui c'est moins grave. C'est juste
une histoire d'amitié et d'amour comme il y en a tant.
Ce n'est pas une question de vie ou de mort.

Rob regarde fixement devant lui. Il retient ses
larmes. Il essaie d'entrer en contact avec moi, me
touche, me prend la main, me caresse la joue.

Je le repousse. Quel cinéma ! Malheureusement, ce
n'est pas du chiqué. Bordel, comme ça fait mal ! Je
veux qu'il me touche, je veux ses mains et ses bras sur
mon corps, mais c'est impossible.

— Tire-toi ! Sors de ma vie ! Je ne veux pas souffrir
à cause de toi ! Je ne veux plus jamais te voir !

J'ai hurlé. La dernière phrase était sincère. Enfin, je
crois.

Je me blottis contre Annabel. Mon sac de cuir rose
est posé à côté de son lit. Les chats Billy et Mimi se

sont pelotonnés entre nous. Pourquoi, dans toute cette chaleur, faut-il que je ne sente que du vide ?

Jeudi 24 novembre 2005

Je suis assise en peignoir sur l'appui de la fenêtre, chez Annabel. J'ai dormi chez elle. Je regarde dehors et j'ai un cafard monstre. Parce que j'ai partagé le lit de ma meilleure amie et pas celui de Rob. Parce que Rob a passé toute la nuit avec des jambes beaucoup plus longues que les miennes. Et parce que de moins en moins de jours me séparent de mon prochain scanner.

Tout, je déteste tout ! Le mois de décembre, avec toutes ses fêtes à la con. Saint-Nicolas, Noël et la Saint-Sylvestre, les dîners en famille et les bols gras d'olives dégueulasses, les huîtres et le champagne !… Je déteste la journée qui arrive et tout ce qui s'annonce ! Je me déteste d'avoir si mal pour un tel connard ! Je me déteste de préférer ses bras à ceux d'Annabel, alors qu'elle est là chaque fois que j'ai besoin d'elle. Je déteste tous les endroits de mon corps qui m'angoissent. Je déteste mon cancer et toute sa famille de métastases. Je déteste le cancer ! Je déteste mon corps !

Il n'est même pas encore huit heures trente. Je me prépare une nouvelle tasse de thé et je suis la trotteuse de l'horloge, pendant huit minutes exactement. J'ai un plan. Un plan d'urgence. Je compose le numéro de Notre-Dame, puis celui d'Erasme à Rotterdam. J'appelle mes médecins. Je les persuade tous les deux d'avancer mon scanner. Soi-disant parce que je ressens des élancements suspects. Je ne peux tout de même pas leur dire que, sans Rob, je ne vois pas comment m'en sortir ? Comment vais-je expliquer ça à mes parents, à ma sœur et au reste de la famille ?

Ma tante sera de bon conseil. Je reste une demi-heure avec elle au téléphone, à renifler. Elle non plus, elle ne peut pas s'empêcher de pleurer sur sa grande nièce qui est subitement devenue toute petite. Juste après, j'appelle mes parents, qui ont reçu un coup de fil de Notre-Dame parce que j'étais injoignable. Je dois leur expliquer un peu les choses.

— M'man ?

— Ah ! Ma chérie ! Comment te sens-tu ?

Sa voix est aimante et pleine de sollicitude. Un peu triste, aussi.

— Pas très bien. J'ai demandé aux médecins d'avancer mon scanner. Je ne peux plus rester dans l'incertitude. Pas sans Rob.

— Je comprends, ma chérie. Notre-Dame vient d'appeler. Ton scanner aura lieu mardi 29. Tu veux que je vienne avec toi ?

— Tu es gentille, mais je ne sais pas… J'aimerais que ce soit Jur qui m'accompagne. Je vais voir s'il est libre.

— D'accord, ma chérie. Si tu passais à la maison ? Je te prépare une bonne tasse de thé !

Annabel entre dans la cuisine.

— Cette nuit, je dors chez Bart.

— Oh !

— Sophie, essaie de comprendre que pour moi aussi c'est infernal, ces temps-ci…

— Je comprends, Annabel, ne te fais pas de souci. Je dormirai toute seule sur le canapé.

— Tu n'es pas toute seule, Soph' ! Nous pensons tous à toi !

— Mais je me sens si seule !

— Je suis là ! Nous sommes tous là !

Je l'avais oublié. Tous ceux qui m'entourent pensent à moi, chacun à leur manière. Maintenant que je m'en rends compte, je comprends qu'en fait je n'ai jamais été seule.

Peut-être que ça m'aidera, d'avoir une nouvelle coiffure, une nouvelle tête – un look qui n'aurait rien à voir avec lui parce qu'il ne le connaîtrait pas. Ou qui le ferait retomber raide dingue amoureux de moi à la première seconde... À la boutique d'accessoires de théâtre, je choisis une perruque très blonde et très provocante qui descend jusque dans le bas du dos. Elle a quelque chose de slave, qui va bien avec mon nouveau statut de célibataire. Je l'appelle Bébé, comme la femme d'Otto, car je l'adore et elle est vraiment belle. Puis je m'offre un crayon noir épais et du fard à paupières mauve.

Encore cinq nuits et je passe au scanner. Encore six nuits et j'entrerai dans la chambre blanche. Tout est possible. Il n'y a pas tant de formules magiques que ça. J'ai peur. Je marche et je marche, sans savoir où je veux aller. Je finis par m'effondrer sur un banc.

Vendredi 25 novembre 2005

— Tu fais entièrement confiance à Fam et à Fleur ?

Le jeune homme hoche la tête. Ses dreadlocks s'agitent dans tous les sens.

— Bien sûr ! Si tu t'en sors bien, tu pourras rester deux mois complets chez nous. Après ça, nous chercherons une autre formule.

J'ai été invitée à travailler à la rédaction de *NL20*, sur le conseil de deux pigistes, Fam et Fleur, qui sont par ailleurs mes voisines. Et mon voisin m'a fait un blog pour attirer l'attention sur mon histoire, car je veux écrire et, si possible, trouver un éditeur !

Un jeune homme efféminé en survêt Adidas tricolore passe dans le couloir.

— Waouh ! Quels beaux cheveux tu as ! s'exclamet-il sur un ton théâtral.

Je porte Bébé depuis une semaine, et elle a maintenant des allures franchement sixties. Je me contente de sourire.

— Je te présente Louis. C'est lui qui écrit l'agenda et d'autres babioles, comme la rubrique « Le vestiaire ». Comme tu vois, nous sommes tous relax, ici, me dit Mister Dreadlocks.

Il porte un chemisier à fleurs et marche pieds nus. Louis tient un sac de beach-volley à la main. J'essaie de ne pas avoir l'air d'une jeune-fille-qui-a-un-cancer et de ressembler à une jeune-femme-qui-écrit, ce qui est assez difficile quand on n'a à son actif qu'un journal intime, une seule publication (au *NRC Handelsblad*, d'accord, mais elle n'est même pas encore partie chez l'imprimeur !) et un pronostic relativement incertain.

— Merci pour ta confiance. Ça me donne vraiment envie. Je t'envoie mon premier article la semaine prochaine.

— Je suis très curieux de te lire !

La femme assise en face de moi est tout ouïe. De temps en temps, elle m'interrompt, comme si je disais des mots trop compliqués. Sur son conseil, j'ai acheté deux livres : *Guérir envers et contre tout* et *L'Aventure d'une guérison*, tous deux de O. Carl Simonton, le spécialiste des malades du cancer qui ne veulent pas encore mourir. À mon tour de transmettre le message, alors, s'il vous plaît, monsieur l'imprimeur, passez les titres de ces deux bouquins en gras et en italiques ! Merci.

J'ai débranché mon téléphone. Et annulé mes rendez-vous. Hormis ceux d'aujourd'hui et de demain, car j'ai vraiment besoin de ma thérapeute ces temps-ci. Une comme ça, on n'en trouve pas souvent, alors on en profite, on la voit tous les jours.

La psy me fait visualiser ma peur, les yeux fermés, et me propose de la mettre sur le papier. Avec un crayon bleu et un crayon vert, je dessine un nuage, puis un autre, au-dessus. J'essaie de le repousser de toutes mes forces, mais il parvient quand même à entrer dans le premier nuage.

Alors la psy me demande de rouvrir les yeux et de regarder mon dessin.

— Qu'est-ce qui se passe ?

— Je le mets dans un cadre et je l'accroche au mur au-dessus de mon lit.

— Et ?…

— Je me dirige vers le cadre, je le décroche de son clou et je retourne au lit en le serrant contre moi comme un doudou.

— Qu'est-ce que cela veut dire, à ton avis ?

— Que je ne veux plus repousser ma peur, peut-être ?

— Sophie, il y a plusieurs Sophie en toi : une Sophie joyeuse, une Sophie forte, mais aussi une Sophie qui a peur et une Sophie qui ne sait pas. Tu dois commencer par les accepter.

Mettre de l'ordre, faire un grand nettoyage : voilà les formules magiques que j'emmagasine chez ma psy.

Mardi 29 novembre 2005

Je veux enfermer Rob dans une petite boîte. Je parcours la mémoire de mon téléphone à la recherche d'anciennes amours. Tout, plutôt que de rester seule sur le canapé !

Subitement, je me rends compte que j'ai beaucoup de mal à accepter l'incertitude. Je sais de quoi était fait hier et je sais ce qui remplit ma journée d'aujourd'hui, mais j'ignore ce qu'il adviendra demain. Aucun rêve… Aucune certitude…

Serait-il en train de la baiser ? Et merde ! Qu'il crève !

En me rendant à la boîte aux lettres, je passe devant le café de Haarlemmerstraat où Rob a ses habitudes. Je le vois par la vitre. Il est assis en compagnie d'une fille aux très longues jambes. Ils rient. J'accélère le pas en me cachant sous la tignasse de Bébé.

Mercredi 30 novembre 2005

Voilà. Je suis assise sur la chaise où j'ai entendu ma condamnation il y a plus de six mois. Et je tremble. Jur est à côté de moi. Je lui ai demandé de m'accompagner car je sais que lui seul est capable de me convaincre que tout est possible en me regardant dans les yeux. Même quand tout semble perdu.

En face de moi, le docteur L.

— Encore une nouvelle tête, Sophie ! Ces longs cheveux vous vont à ravir, dit-il en souriant.

L'espoir monte en moi, tandis que la peur reflue lentement. Je triture nerveusement une mèche de Bébé. Je me suis maquillée et j'ai passé mon plus beau chemisier en soie, pour me convaincre que la situation n'était pas désespérée.

— Bon, Sophie, j'ai de bonnes nouvelles pour vous !

Mon genou droit tressaute et cherche celui de Jur. Son genou gauche fait la même chose. Je lis de la fierté et de la satisfaction dans les yeux de mon toubib. J'ai imaginé ce moment un nombre incalculable de fois. Chaque fois, je lui sautais au cou. Je me contente d'essuyer une larme et de l'embrasser sur la joue.

— Les radios sont bonnes. On ne voit plus rien. Vous êtes radiologiquement saine.

— Je suis sauvée, alors ?

— Oui et non, nous n'avons encore aucune certitude. Nous ne voyons plus aucune anomalie, mais nous ne pouvons pas vous certifier que vous n'avez absolument plus rien. Seul l'avenir nous le dira.

Jur met un terme à toutes mes questions en me serrant dans ses bras, longtemps, longtemps, et en m'embrassant.

— Quelle connerie ! dit-il en sortant de l'hôpital avec moi. Tu es sauvée, c'est tout. « L'avenir nous le dira » !!! Qu'il aille au diable !

Je suis contente qu'il soit là. Il sait de quoi il parle.

Tout à coup, je ne sens pas seulement de l'amour pour ce jeune homme si spécial qui se tient en face de moi, mais aussi pour Annabel, Jan et Jochem… Et pour Rob ! Et pour la voisine ! Et pour ma famille ! Je ne les aimerai jamais assez. Sauvée ! Sauvée ! Sauvée ! Trois orgasmes en un ! Et toute seule, encore bien ! Sans le docteur K ! Sans Rob ! Purée, comme je suis soulagée !

Trois verres de vin et un bol de tapas plus tard, je descends Marnixstraat. Direction Westerstraat et Prinsengracht, le long du canal, près d'Annabel. Elle m'attend, les bras grands ouverts. Je n'arrive pas y croire. Vraiment, je suis sauvée ? Ça y est ? Je suis de nouveau dans la course ? Ce simple petit mot, « sauvée », a fait prendre un tournant à cent quatre-vingts degrés à ma vie.

Aujourd'hui, oui, j'ai retrouvé mon avenir.

— Mamy ?
— Oui ?
— Tu es un peu moins triste si je te dis que je savoure délicieusement ma nouvelle vie ? Que j'en déguste chaque seconde qui passe ?

J'entends ma grand-mère renifler doucement.

Jeudi 1er décembre 2005

Il est minuit quand j'entre à la Sugar Factory, une petite boîte en face du Melkweg. Je sors ! Cette fois-ci, c'est pour vivre, et plus pour oublier ! Même si mon cœur bat aussi vite qu'hier, dans le cabinet du docteur L, j'ai réussi à me mettre de longs faux cils et à me maquiller les yeux au crayon. Je porte des cuissardes, de longs cheveux blonds et un caftan très sexy qui s'arrête juste sous les fesses. Fleur a un jean, une veste stricte et une cascade de boucles blondes – mais les siennes sont vraies. Jur est en tee-shirt vert, grosses Nike noires et jean taille basse. Il est encore plus beau qu'hier. Nous carburons au vin rouge, comme hier, comme demain et comme après-demain.

Mais Jur ne me regarde pas. En tout cas, il ne regarde pas mes hanches. Il parle, il écoute, il téléphone… Il me raconte des choses sur son ex et sur la fille avec qui il couche pour le moment.

Et moi, alors ? Je le regarde. Je pense à mes hanches, à ses hanches. À mes lèvres, à ses lèvres. À mes jambes enlacées aux siennes, à mes œufs à côté des siens dans la poêle. J'imagine qu'après ma chimio nous vivrons pendant un an sur des plages de sable blanc et dans des villes inconnues, mais surtout sous ses draps et sous les miens. J'envisage même de l'emmener en Espagne, chez Otto et Bébé…

Aux toilettes, je m'applique une couche supplémentaire de gloss rose sur les lèvres, j'arrange mes cheveux, j'ouvre un bouton de plus.

Il ne me regarde toujours pas. Il est trop absorbé par sa vie amoureuse bien remplie pour se rendre compte que j'attends mon tour.

— Jur ?

— Oui ?

— Je t'ai déjà dit que tu étais très important pour moi ?

— Ah ?

— Je suis même tombée un peu amoureuse de toi dès le premier jour. Enfin, je ne pense pas à toi tout le temps, parce qu'on ne se voit pas autant que je voudrais, mais bon, enfin, tu es toujours là, quoi.

— Ah ! Belle franchise…

Je ne sais pas quoi penser de cette réaction.

— Et ?

Je bats encore un peu de mes cils XXL.

— Sophie, tu sais que j'ai une copine. Je ne cherche pas ailleurs.

— Tu as déjà rompu deux fois depuis que je te connais.

— Et alors ?

— Et alors ?

— Sophie, je te trouve très jolie et je pense que nous avons une relation très spéciale, toi et moi, mais je te vois comme une amie, sans plus.

— Ah… Bon, je suis quand même contente de te l'avoir dit, ça me pesait.

— Viens ici ! dit-il en me collant un gros bisou sur la joue.

Génial, un pote comme ça !

Vendredi 2 décembre 2005

C'est la fête. Mon corps reste chamboulé par l'euphorie que j'ai ressentie mercredi, à l'annonce de la bonne nouvelle. Je ne parviens pas à dormir, même si je ne bois pas de café. Ça ne sert à rien de rester dans mon lit les yeux grands ouverts. Je sors ! Direction le Club NL !

Ma tante Kristien a laissé ses enfants et son mari adoré à la maison pour venir faire la fête avec moi. Surprise ! Rob est dans la farandole ! Nos yeux se sont à peine croisés que déjà nous échangeons un long baiser. Je sais que je veux rester copine avec lui, alors je fais de mon mieux pour oublier Miss Longues Jambes. Ça marche du tonnerre : elle est en vacances !

Rob et moi, on passe toute la soirée ensemble. Nous parlons, nous parlons, nous parlons ! Nous nous aimons tellement… Il regrette vraiment… Nous resterons toujours amis… Et cetera, et cetera…

Bon. Nous sommes donc amis. Sympas, tous ces potes ! Rob, Jur… Comme je suis contente !

Samedi 3 décembre 2005

Journaliste ! Je suis journaliste ! Comme ça, du jour au lendemain ! Les jours d'incertitude se métamorphosent en projets, les perfs en articles, avec de vrais *deadlines* ! Comme une pro ! Une ex-cancéreuse témoigne… Je n'aime pas ce suffixe, *ex*, surtout s'il s'applique à moi. C'est un énorme soulagement, bien sûr, mais je dois encore m'habituer… J'ai écrit un jour que le monde tournait sans moi. C'était quand j'étais entourée des autres patients du C6. Maintenant, je vois les choses autrement. Je peux même affirmer que j'ai trouvé ma place dans la ronde du monde. Car, désormais, je suis journaliste ! J'ai un métier. J'ai un avenir.

J'ouvre le *NRC Handelsblad*, à la recherche de la rubrique « Vivre, etc. ». Rob est assis à côté de moi, et il est aussi enthousiaste. Comme c'est bon de l'avoir près de moi, après deux semaines d'absence ! Comme c'est bon de lui donner la main ! Tant que nous oublions qu'il existe quelque part des jeunes femmes aux longues jambes, tout est comme avant.

Le titre s'étale en capitales en haut de la page : LES PERRUQUES DE SOPHIE. Il y a quatre photos : moi avec mes deux doigts d'honneur, puis Platine, Emma et Sue.

— Hé ! Regarde ! Moi aussi, je suis célèbre ! dit Rob en montrant la photo d'Emma qu'il a prise il y a trois mois à Luxembourg.

Je lis l'article à voix haute. À chacun de mes mots, le sourire de Rob s'élargit un peu plus.

— Je suis si fier de toi ! Regarde, mais regarde !

Nous nous serrons la main encore plus fort. Nous ne nous lâchons pas.

— Rob, quand est-ce que tu vas plaquer cette connasse aux longues jambes et te décider à me faire des bébés ? Je peux m'arranger pour la faire enlever par un terroriste colombien ou par un singe en rut...

Rob éclate de rire. L'excitation est à son comble. Parce que nous nous aimons énormément. Et parce que nous adorons être ensemble. Je regarde une dernière fois mon article. Ah ! Quelle journée ! Me retrouver là, dans le journal, en malade du cancer... Dans cet article, je raconte ma soirée avec Mister Cravate Folle. Je l'avais tenue secrète et la voilà maintenant exposée à tous les regards... Comme c'est bon !

Mardi 6 décembre 2005

J'ai à peine le temps de dire ouf que déjà je me retrouve devant un bâtiment d'un chic fou, le long d'un canal.

Je sonne. Quelqu'un actionne l'interphone. J'entre.

— Bonjour, j'ai rendez-vous avec un éditeur.

— Quel est votre nom ?

— Sophie Van der Stap.

— Attendez-le ici, il va arriver. Je l'appelle.

La réceptionniste m'indique un salon en cuir noir. Sur la table basse, plusieurs magazines, dont *Het Parool* et *NL20*. Je m'assieds en jetant des regards brûlants de curiosité autour de moi.

Les murs du hall sont décorés de carreaux de faïence blanche, typiques des intérieurs hollandais du XVIIᵉ siècle, si je me souviens bien de ce que m'a un jour expliqué mon père. Lorsque nous nous promenons dans le centre historique d'Amsterdam, il a toujours une histoire ou une anecdote à me raconter. Un rien suffit à le lancer : une façade, un nom de rue, une église… Il y a deux mois, il m'avait emmenée à la découverte d'une vieille église clandestine sur les remparts, Notre-Saint-Seigneur-du-Grenier, dissimulée au troisième étage d'une vieille maison de maître. Tout y est encore : le jubé, l'orgue, les vitraux et, oui, les faïences… La montée dans les escaliers étroits et la visite parmi tous ces touristes m'avaient épuisée. Dire que c'était il y a seulement deux mois et que maintenant je pète la forme !

— Sophie ? Vous voulez bien me suivre ?

L'éditeur a beau décréter que je suis un « auteur », je n'ose pas encore croire qu'ils veuillent réellement éditer un livre de moi.

La cancéreuse devient un personnage public, avec ses perruques, ses maux de ventre, ses larmes, ses histoires d'amour avec ses médecins, ses rêves… Elle devient… célèbre !!!

Je suis invitée à l'émission *De Wereld Draait Door* (« Tourne le monde »). Je suis au maquillage. Mes perruques circulent : la rousse, la blonde, la brune aux cheveux courts, la brune aux cheveux longs, la blondasse aux cheveux raides… Qui vais-je montrer ce soir ? Emma, Daisy, Blondie ou Platine ? Bébé ou Pam ? Entre les éditeurs, les présentateurs, les photographes et les *public relations*, entre les mines maquillées, les toilettes impeccables et les sourires… Qui serai-je ? Oublier tous mes rendez-vous, prendre des allures de star comme une vraie vedette, recevoir des appels dès le petit matin pour une interview… Aaaaah ! Comme c'est glamour d'être moi ! Comme c'est glamour d'être en passe d'être une ex-cancéreuse !

Bientôt, on lira dans le journal de Notre-Dame : « Les débuts d'une écrivaine très prometteuse ! À lire si vous voulez en savoir plus sur le docteur C, pardon le docteur K, et si vous voulez connaître les expériences tumultueuses d'une jeune malade du cancer soignée à l'hôpital Notre-Dame… »

Il y a un marché à prendre. J'en suis certaine ! Quelques belles photos de ma petite frimousse avant et après, avec éventuellement, en annexe, des photos de mes métamorphoses parues dans la revue *Beau Monde* et une interview diffusée dans l'émission people du début de soirée. Les gens n'attendent que ça : un mélodrame dans un emballage glamour servi dans le journal qu'ils lisent au petit déjeuner, dans le canard qu'ils feuillettent l'après-midi chez le coiffeur et dans l'émission populaire qu'ils regardent le soir à la télé.

La seule chose qu'on me demande, c'est de montrer qu'il est possible de vivre avec le cancer, et même de rire et de prendre du bon temps. De montrer que je continue à faire du lèche-vitrines, à me bichonner, à sortir… et à trouver du plaisir à faire toutes ces choses. De montrer qu'il est possible d'avoir un cancer sans avoir un corps décharné, sans souffrir et sans vomir à longueur de journée. Que ça peut être fun de porter des perruques. Et qu'il est possible d'être jeune et innocente et d'avoir un cancer.

Je me vois très bien comme Lance Armstrong, chez Oprah Winfrey, expliquant en quoi le cancer a embelli ma vie. J'apparaîtrais sur le podium en souriant à l'américaine, dans un corps hyper-vitaminé, avec dans une main un bouquet de roses pour Oprah et dans l'autre mon bouquin. Et, interrompant les applaudissements de la salle, Oprah s'exclamerait : « Regardez-vous ! On n'imaginerait jamais que vous avez eu un cancer ! Alors, dites-moi, public ! Croyez-vous vraiment qu'elle a eu un cancer ? »

Le soir, à mon retour de l'émission *De Wereld Draait Door*, ma messagerie électronique déborde. Les appels viennent à quatre-vingt-dix pour cent de gens que je ne connais pas. Il me suffit d'un coup d'œil aux « objets » pour vérifier qu'il s'agit chaque fois de réactions à mon apparition télévisée et à mon tête-à-tête avec l'acteur Cees Geel. Toute cette attention me fait chaud au cœur. Je ne m'endors pas avant trois heures et demie du matin.

Date : mardi 6 décembre 2005 20 : 39
De : Chantal
À : Sophie
Objet : Salut, Sophie

Je viens de te voir à la télé, un pote m'a téléphoné pour me dire que je devais absolument voir ça. Moi aussi j'ai un cancer et tu m'as bien fait rire quand tu as parlé de la difficulté de faire concorder ses actes, son image et son identité…

Cet extrait que le présentateur a lu, au sujet du mec à la cravate dans cette boîte, ça avait le goût du vécu ! Toi, avec ta perruque, comme tu as pu t'épanouir… Moi, les rayons laissent des traces sur ma peau. Je dis toujours que ce sont des panneaux indicateurs, il suffit de les suivre pour trouver mes zones érogènes… On imagine de ces choses quand on est célibataire ! lol

En fait moi je n'ai jamais porté de perruque. J'en ai acheté une, mais je la trouve horrible, alors finalement je me balade comme ça avec une casquette sur ma boule à zéro. Oui, parfois, il y a des gens qui vous regardent zarbi. Ils vous font des remarques… Il m'arrive de dire : « Eh oui, c'est comme ça, quand on a un cancer ! »

Tiens, j'habite aussi Amsterdam… Je devais aussi aller au T Dansant dimanche dernier… Le temps n'était pas vraiment beau et je me suis dit que s'il continuait à pleuvoir ce ne serait pas trop le top sur l'eau.

Bon ben voilà… Tu te dis peut-être : Hé ! Elle pourrait être sympa celle-là, ou alors carrément l'inverse (encore une qui se la pète). Non, je ne suis pas comme ça, je prends la vie comme elle vient, comme toi…

Tu vas peut-être recevoir une centaine de mails, alors je te pardonne…

Tiens, moi, j'ai encore eu ma chimio aujourd'hui. Toi, c'était quand la dernière fois ?

À + peut-être ?

Chantal

Je m'enfonce dans un des fauteuils d'avion hyper-confortables du traitement de jour de Notre-Dame. C'est vendredi après-midi. Une nouvelle chimio m'attend. Au micro de Matthijs Van Nieuwkerk, l'animateur de *De Wereld Draait Door*, j'avais oublié les perfs, mes angoisses et les médecins. Mais j'ai maintenant une migraine effroyable. J'entends un hélicoptère. Pas mamy, je le lis dans ses yeux, mais elle a compris, et elle me dit qu'elle aussi elle entend ce bruit.

Les infirmières m'interrogent du regard. Un hélicoptère au-dessus de Notre-Dame ? La star du petit écran, l'écrivaine en herbe, n'aurait-elle plus tous les circuits à la bonne place ?

— Un hélicoptère ? répète Monique, interloquée.

Le liquide jaune pénètre maintenant dans mon corps. La poche pendouille à mon pied à intraveineuse.

— Oui, un hélicoptère.

Je ferme les yeux. Je m'appuie sur le dossier du fauteuil. L'aiguille de la perf est simplement enfoncée dans mon port-à-cath. Subitement, tout s'assombrit, comme si mon corps commençait seulement à comprendre ce qui est en train de lui arriver. Les pales de l'hélicoptère tournent à plein régime. Je repense à tous ceux qui n'ont pas tenu le coup. Mon angoisse est de retour.

Mardi, j'étais sous les projecteurs, rayonnante. Qu'est-ce qui me faisait rayonner comme ça ? Le fait d'avoir survécu ? Ma conversation avec Cees ? Quel acteur ! La chemise rouge de Matthijs ? Waouh, quelle poitrine velue ! Entre Bridget, la présentatrice, et Cees

Geel… Laisser faire, ne pas se plaindre… C'est comme ça que je fonctionne…

Ce ne sont pas les débouchés qui manquent, quand on a eu un cancer. Moi qui pensais n'avoir le choix qu'entre politologue et femme au foyer ! Il y a des tas de bonnes histoires et des tas de mauvaises histoires. Mais celle-ci, c'est MON histoire. Et c'est une bonne histoire. Car c'est moi qui l'écris.

Que vais-je inscrire sur ma carte de visite ?

SOPHIE VAN DER STAP
EX-cancéreuse
LIVE STRONG

Date : lundi 12 décembre 2005 12 : 32
De : Sophie Van der Stap
À : Chantal
Objet : Re : Salut, Sophie

Bonjour, Chantal
C'est de moins en moins dur à la chimio, même si hier j'ai vraiment eu l'impression qu'un hélicoptère atterrissait entre mes deux oreilles. C'était ma trentième séance. Pendant tout un temps, ça a toujours été le lundi, puis le mardi, et maintenant, c'est le vendredi. J'ai beaucoup écrit hier soir et pas mal gribouillé dans mon livre. Aujourd'hui, direction l'éditeur !…

Cette semaine, je suis en Espagne. Je passe quelques jours à Barcelone avec un ami. Tout le monde a l'air de connaître la ville par cœur, sauf nous.

Nous écrivons tous les deux, on s'entend bien.

Je rentre la semaine du 19. Je me mettrai au boulot avec mon éditeur. Cette semaine, j'ai parlé à quelqu'un qui m'a contactée par mail, exactement comme toi. Il a mon âge apparemment et il est malade. Un cancer du cerveau, je crois. Pas vraiment marrant. Et si on se voyait un jour avant la chimio ? Dans quel quartier habites-tu ?

Biz

Sophie

P-S : les cheveux courts te vont bien.

Mardi 13 décembre 2005

Jan trouve que mon envie de fuir la pression est une excuse géniale pour troquer l'hiver contre le printemps. Et comme je suis souvent d'accord avec lui et qu'il est parfois d'accord avec moi, nous avons décidé de partir pour Barcelone. Nous nous sentons merveilleusement bien ensemble, et quand ça ne va pas, ce n'est pas grave, car nous pouvons de toute façon tout nous dire.

— Jan, il faut que tu mettes ta fierté de côté, un vieux chien qui perd ses poils n'intéresse personne.

— Hé, petite salope, tu veux bien arrêter de ronchonner !

Correction : Jan peut tout me dire.

Nous arrivons à la porte d'embarquement. Nous devons d'abord préembarquer. Préembarquer ? J'explore les différentes significations de ce mot : passer le temps à étudier les numéros des sièges ? Nous préparer mentalement à intégrer la culture espagnole ? Nous limer les ongles ? Préparer notre passeport ? Que fait-on avant d'embarquer ? On attend.

On ne préembarque pas comme ça, pour rien. C'est seulement dans les cas exceptionnels de retard. Heureusement, avec la compagnie aérienne que nous avons choisie, cela n'arrive que lors du vol aller *et* lors du vol retour. Debout entre d'autres passagers préembarqués, je commence à me demander pourquoi j'entreprends ce voyage. Qu'est-ce que j'y trouve de si intéressant ? Faire ses bagages, les refaire (ne pas oublier ma perruque blonde et mes chaussures noires), les enregistrer, les défaire, s'installer, n'avoir aucune idée de ce qu'on va manger au petit déjeuner… Il fut un temps où je trouvais ça génial. Mais plus maintenant. Je n'ai plus du tout, mais plus du tout envie de découvrir des trucs bizarres dans mon assiette ni de me réveiller dans un lit inconnu.

QUATRIÈME PARTIE

Mercredi 14 décembre 2005

— Jan, laquelle va le mieux avec du mauve, Bébé ou Emma ?

Nous adorons jouer avec les couleurs, lui et moi.

— Ça dépend. Tu veux séduire quel genre de mec ? Un jeune torero ou un président de club de foot en costume rayé ?

— Mister Cravate Folle ? Regarde !

Il ne nous a pas fallu longtemps pour vivre à l'heure espagnole. Il est vingt-deux heures, nous sortons boire un verre de vin et, peut-être, manger un morceau. Je retire la chevelure auburn d'Emma et j'enfile les longues mèches blondes de Bébé.

— Une Russe blonde avec du mauve à paillettes, je ne sais pas trop… Là, t'es plutôt partie pour te taper un président de club de foot ! s'esclaffe Jan.

— C'est chic quand même, dis-je en lissant mon nouveau chemisier en soie.

Roublina Salopina Mongolia : voilà comment Jan m'appelle. Il aime m'affubler de surnoms qu'il dit adaptés à la situation. Ça a un petit cachet mystérieux

199

et ça fait slave. Trouver la bonne harmonie entre mes perruques et mes tenues demande tout de même un peu de couper-coller. Certaines combinaisons ne vont tout simplement pas ensemble, malgré toutes mes tentatives. Par exemple, je n'oserai jamais associer les cheveux blancs de Platine avec un top léopard. Cela me donnerait un côté rétro chic qui n'est pas du tout mon genre. Pas question non plus de combiner la blondeur de Bébé avec les rubans roses de ma minijupe, sous peine d'un grossier malentendu…

Je suis désormais très attentive aux caractéristiques de chacun de mes personnages. Avec Pam, c'est fou le nombre de possibilités qui s'offrent à moi, mais je peux en décliner encore bien davantage avec neuf identités différentes. D'où la nécessité d'étoffer ma garde-robe. Il me faut un chemisier vert en soie pour Emma et Sue, histoire de mettre leurs reflets roux en relief… Une blouse rose à fleurs pour permettre à Daisy de s'épanouir pleinement… Et un top violet et brillant pour contenter Bébé…. Chacune a ses exigences et ses préférences !

Quand je sors, je choisis souvent une coiffure longue et volumineuse, car alors la moitié du boulot est déjà faite. C'est ce qui explique que Bébé, Emma et Pam sont celles qui ont vu le plus de boîtes, de restaurants et de fêtes. Ce soir, pour aller dans une *bodega* de la Barceloneta, j'ai le choix entre Emma et Bébé, les deux seules que j'ai emportées avec moi dans ma valise. Bref, entre blonde et rousse, entre violet et vert.

— C'est trop, tu crois ?

— Pour un toréador ou pour un président de club de foot ? Je ne pense pas.

— Alors c'est bon comme ça.

À la *bodega*, Jan me parle du passé. De l'époque où il gagnait de l'or en barre et du jour où il s'est payé sa première machine à laver avec le cachet qu'il avait reçu d'Herman Brood, Monsieur Sexe, Drogue et Rock and Roll.

— Oui, petite, si tu continues à tomber les cœurs comme la semaine dernière à la télé…

— Oui ?

— Rien, rien, je ne dis rien… On verra !

Jeudi 15 décembre 2005

Je m'assieds à la première rangée. Je suis absolument seule. Derrière moi, des dizaines de bancs vides. Jan m'attend dehors, il se dore le visage au soleil. Je suis fatiguée, vraiment fatiguée. Mes pensées tournent en rond dans ma tête. C'est trop, subitement, c'est trop, et je me sens parfaitement à ma place dans cette partie calme et vide de l'église. Loin du dehors, de la vie trépidante à l'espagnole, mais aussi loin de ma vie, où tout va si vite, trop vite. Ici, chez mon copain Jésus, je suis en sécurité.

Je m'arrête devant les cierges. Pour qui vais-je en brûler un ? Le premier sera pour Anneke, ma cousine qui vient de mourir brutalement, le deuxième, pour mes parents, et le troisième, c'est un secret.

Demain sera un autre jour.

Demain je reviendrai.

Deux petites vieilles toutes ridées entrent dans l'église. Au moment où elles ralentissent le pas pour s'arrêter devant le petit autel, nous échangeons un regard chaleureux. L'une d'elles me sourit, dévoilant trois chicots, tandis que l'autre glisse de la monnaie dans la fente étroite de l'énorme tronc de l'autel. Elles ont leur moment, comme j'ai eu le mien. Peu après, elles disparaissent par les portes qui les ont vues entrer.

Je me rassois à la première rangée. Depuis que les petites vieilles sont parties, je suis de nouveau seule. La tête penchée en arrière, je plonge mes yeux dans ceux de mon copain Jésus. De là-haut, il me regarde, partout et en tout lieu. Je me dis que c'est bien qu'il soit là. Mon fidèle ami ! Quel calme... Pour lui, pour moi... Je décide d'allumer un quatrième cierge. Pour lui. Il faudrait peut-être que je le fasse chaque fois que j'entre dans une église.

Deux nouveaux petits vieux s'approchent, arc-boutés sur leur canne. Cette fois, c'est un couple. Eux aussi me regardent. Ils me saluent d'un signe de la tête. Dans l'église, mes longs cheveux blonds me donnent peut-être plus l'air d'un ange que d'une bimbo. Sur les Ramblas, ce serait plutôt l'inverse. Je leur rends leur bonjour et je les suis du regard jusqu'à ce qu'ils disparaissent et que le calme revienne. Pour moi, la représentation d'aujourd'hui est terminée. Je me lève. Je me dirige vers la sortie, loin des cierges qui brûlent. Loin de la présence chaleureuse de mon copain Jésus. Loin de la première rangée. Une dernière fois, je regarde autour de moi, dans cet espace où baignent les pensées et les prières, avant de passer la porte imposante qui me ramène au-dehors.

Vendredi 16 décembre 2005

Je me dirige vers le renfoncement, à droite, et je choisis les deux plus gros cierges. Je cherche un endroit où les poser. Je préfère ça à tout un plateau de bougies. Dans cette église, c'est permis. Deux saints veillent sur mes cierges – je ne sais pas qui ils sont, mais ils ont un regard très pieux et très amical. Deux cierges : un pour Chantal et un pour Aniek, que j'ai elle aussi rencontrée grâce au crabe. En les allumant, je m'étonne de la longueur des câbles des grands candélabres. Ils paraissent encore plus imposants dans le vide du lieu. C'est la première fois de ma vie que j'allume un cierge que je vais venir voir brûler trois jours de suite. Il y a quelque chose de particulier dans cette église. Des centaines de lucioles éparpillées dans le vide lointain, un carnaval de bougies rouges aux flammes vacillantes… Les voûtes s'élancent très haut vers le ciel, les dalles sont mornes et grises, les bancs de prière sont vides… Que cette église est belle dans sa simplicité !

Samedi 17 décembre 2005

Les cierges se sont éteints.

Mercredi 21 décembre 2005

Me voici de retour à Amsterdam ! J'ai rendez-vous avec Chantal au Chocolate Bar, à deux pas de son quartier général, le Pilsvogel. C'est dingue ! J'apprendrai plus tard, en lisant le livre de Ray Kluun[1], que cette brasserie a joué un rôle très important dans la vie de ce publicitaire dont la femme est morte d'un cancer du sein. Il fait encore calme. Nous prenons place à une des trois tables, où sont posés des verres et un cendrier et où brûle une bougie.

Détendue, Chantal allume sa deuxième cigarette. Entre deux éclats de rire, elle sirote une gorgée de vin blanc. J'ai en face de moi une hédoniste triomphante. Une femme comme on en rencontre peu. Une femme qui a affronté sa plus grande peur et qui l'a dominée. Comme elle est joyeuse ! Comme elle est belle !

Avec elle, j'ai ri, j'ai retenu mon souffle, j'ai écouté attentivement, j'ai versé des larmes, je les ai essuyées. À tous ces moments j'avais la chair de poule, car je pensais que la chaise qui me faisait face aurait tout aussi bien pu être vide. Chantal est incurable… mais elle profite de la vie ! Incurable… mais elle plaisante ! Incurable… mais elle drague ! Incurable… mais elle s'achète des chaussures ! Oui, ça a été la première chose qu'elle a faite : elle s'est acheté des chaussures – même si, juste après, elle s'est demandé si elle aurait jamais le temps d'en user les semelles…

La chair de poule, vraiment. Elle me donne la chair de poule. J'ai envie de la serrer dans mes bras de toutes mes forces. Pas par compassion ni par empathie, non. Pour partager.

Subitement, j'ai envie de rouscailler. De déblatérer avec elle sur son cancer et sur le mien. De dire du mal de ces connards qui se sont tirés dès qu'ils ont appris qu'elle avait un cancer et qui ne se sont pas privés de

1. *En plein cœur*, Ray Kluun, France Loisirs, 2007.

la critiquer, elle, à cause de sa maladie. J'ai envie de râler sur ces beaufs qui m'ont plantée là pour s'envoyer en l'air avec une nana sans chimio ni perruque ni bracelet jaune au poignet.

— Ça ne marche pas, tu sais, dit-elle en montrant le sien avec un large sourire.

Le passé... C'est de ça qu'elle a peur : que ses amis parlent d'elle au passé. Qu'ils vieillissent sans elle. Personne n'existe hors du temps. Mais je préfère ne pas me projeter dans le futur. Je veux vivre au jour le jour et penser le moins possible à demain.

— Toi aussi, tu es incurable ? demande Ellen, l'amie de Chantal qui vient de s'asseoir à notre table.

Je regarde autour de moi. Le Chocolate Bar s'est peu à peu rempli. Je fais non de la tête.

Chantal la triomphante claironne qu'elle n'est pas près de passer l'arme à gauche, même si elle habite sur la rive gauche du canal. Les cheveux de ma perruque se dressent sur ma tête. Je souris. Comment vais-je pouvoir égayer ses dimanches tristounets ? Comment va-t-elle rendre mes journées moins débiles ? Nous pourrons unir nos forces pour dire du mal de la terre entière. Ou pour profiter de la vie, rire, draguer, acheter des chaussures et nous demander si nous aurons l'occasion de les porter souvent chez le cordonnier. Pour repousser l'échéance fatidique... Ensemble ! Les médecins lui donnent à peine deux ans à vivre. Elle s'octroie bien davantage, et moi aussi. Mais elle n'aura jamais quarante ans, ça, elle le sait.

Nous avons déjà donné énormément de nous-mêmes, mais il nous en reste plus qu'il n'en faut. Nous avons avec nous chaque seconde, chaque minute, chaque heure de chaque journée... Chaque journée de chaque semaine… Nous vivons pour nous. Et pour les êtres qui nous sont les plus chers.

Viendra le jour où moi aussi je devrai affronter ma condamnation à mort. Ni aujourd'hui ni demain et, si ça ne dépend que de moi, pas avant que je ne sois une arrière-grand-mère toute ridée. Ce jour-là, je repenserai au vide que j'ai ressenti cette année. Au vide qui s'est ouvert sous mes pieds quand tous mes rêves se sont envolés. Moi aussi, j'ai cru que le temps m'était compté et j'ai espéré grappiller quelques années. Le temps de faire repousser mes cheveux comme avant, quand tout était encore si différent. Je regarde Chantal et je repense à ce vide. J'embrasse ma nouvelle amie, je la serre dans mes bras le plus fort possible. Je sors du café en pestant contre le cancer. J'ai la chair de poule et je souris. Les deux en même temps. Maintenant, je sais avec précision pourquoi je veux écrire mon roman.

Mardi 27 décembre 2005

J'entre dans un bain bouillant, sans bougies d'ambiance et sans amoureux. Je feuillette *Elle*. Mes yeux tombent sur l'horoscope de l'année. D'habitude, je fais l'impasse, mais pas cette fois – on ne sait jamais. Voici le message que m'envoient les étoiles en sept cents mots : analyse de caractère, carrière et amour. On va voir ce qu'on va voir !

Carrière : je dois m'attendre à des déboires en septembre. Belle perspective : c'est le mois prévu pour le lancement de mon livre ! Faut-il pour autant en reporter la sortie, ou l'avancer ? En amour non plus, ça ne va pas être tout rose : deux princes charmants sont au programme, mais le premier – qui m'apportera une grosse déception avant l'été – sera en fait celui d'une autre. Je devrai donc tout miser sur le numéro deux, qui sonnera à ma porte en automne. Avec lui, ce sera du sérieux. Dois-je vraiment croire à ces conneries ? Aaargh ! Faut-il vraiment que je fasse une croix sur Jur ?

Vendredi 30 décembre 2005

Chantal est assise à côté de moi, devant une tasse de thé et un boudoir. Elle est arrivée dix minutes après le début de la chimio et, une heure et demie plus tard, elle est toujours là. Nous nous sommes bien trouvées, elle et moi. Que ce soit à l'heure de l'apéro ou de la perf, nous rigolons toujours comme des baleines. Chantal est comme moi : tout ce qui concerne l'hôpital, elle préfère le régler seule, sans famille, sans émotion.

Elle passe au scanner la semaine prochaine.

— Quelqu'un t'accompagne ?

— Toi ? propose-t-elle joyeusement.

— Génial !

Oui, nous avons un cancer et c'est con, mais la vie continue pour toutes les deux. Même pour Chantal, qui a appris il y a six mois que la chimio ne faisait que retarder l'issue fatale. C'était le 9 juin. À l'époque, j'étais coincée au C6 avec un pansement au-dessus du sein.

— Tu as déjà une idée, pour après ?

— Je veux être incinérée.

Elle n'a pas envie de pourrir six pieds sous terre. Je la comprends. Moi non plus.

— Ah.

— Et toi ?

— Moi, je veux qu'on m'enterre. Cela me semble mieux pour ceux qui restent. L'incinération et la dispersion des cendres, OK, mais je ne vois pas où. Au cimetière de Zorgvlied ? Bof ! Tu as déjà réglé les modalités pratiques ?

— Quoi, mon cercueil ? Non, pas encore. Tu t'en occupes ? Et moi je m'occupe de toi…

Nous éclatons de rire à l'idée que chacune mette en scène le grand jour de l'autre. Nous voulons de toute façon la même chose. Elle au son de DJ Tiesto, moi avec les Rolling Stones.

— Il faut que ce soit une fête ! ajoute-t-elle.

Chantal et moi, nous parlons aussi facilement de notre cercueil que des bottes qu'elle vient de s'acheter, et ça ne nous empêche pas de le faire tout en feuilletant *Elle* à la pêche aux idées. Et c'est incroyable comme nous sommes sur la même longueur d'onde, question mecs ! Toutes les deux, nous savons combien il est difficile de débarquer chez un homme l'esprit libre et le cœur léger alors que nous sortons d'une séance de chimio ou que nous venons de passer trois jours au lit à dégobiller.

— Tu peux dire qu'il nous emmerde, le cancer ! dit Chantal.

Elle a raison, car, chaque fois qu'elle sort, elle se réveille avec une gueule de bois pas possible.

— C'est de pis en pis, confirme-t-elle.

Moi, je vis ma vie avec une conscience accrue des choses. L'alcool n'entre pas dans ce tableau. Je suis plutôt du genre méditation, psychothérapie et *tutti quanti*. À choisir, mieux vaut mon pronostic que le sien. C'est sans doute pour cela qu'elle veut être de toutes les fêtes.

— Repose-toi bien ! dit-elle en partant faire les courses en vue de la soirée qui s'annonce.

— Bonne chasse !

Une pensée très égoïste m'envahit. Chantal me donne le même sentiment de sécurité qu'Oscar et Marco quand je pense à la mort. Je vois comme un trou noir, avec çà et là un halo d'énergie... C'est confortable de se dire qu'une amie comme elle vous attendra dans l'obscurité. Une amie qui restera à vos côtés tant que durera la mort...

Bordel, comme elle doit se sentir seule !

Dimanche 1er janvier 2006

Premier jour de la nouvelle année... Je regarde autour de moi, à la recherche de changements. Ce n'est pas que je trouve que tout doive subitement se métamorphoser, mais il y a apparemment des tas de gens qui sont convaincus que 2005 était une année de merde et que 2006 s'annonce géniale.

Je n'ose pas le dire. Quelle journée de merde !

Tout est encore mort. Et j'ai fini mon yaourt.

Qu'est-ce qui a changé ? L'issue de ma maladie, bien entendu, et ça, c'est génial. Mais ma sœur est toujours à Hong Kong avec son expat d'amoureux : merde ! Chantal est entrée dans ma vie : génial ! Mais elle est condamnée : merde ! Mon livre va paraître en septembre, malgré les prévisions négatives de *Elle* : génial ! Et Jur ? Merde, merde et encore merde !

Date : lundi 2 janvier 2006 23 : 16
De : Chantal
À : Sophie
Objet : Re : chair de poule

Quel talent ! Et comme tu m'as bien écoutée !
Étrange de savoir que c'est de moi que tu parles
ainsi… Et tu formules ça avec une telle légèreté…

Je suis fière de toi ! Ma nouvelle amie est écrivain ! Waouh !

Biz et bonne nuit !

P-S : je te conseille ce site : www.kluun.nl

Jeudi 5 janvier 2006

Le docteur N accroche les photos de mon dernier
scanner et les contemple avec satisfaction. J'ai même
l'impression de lire de la fierté dans son regard. Mes
poumons sont redevenus sains !

— J'avais déjà appris la bonne nouvelle à la télé,
dit-il en riant.

La communication entre les hôpitaux d'Amsterdam
et de Rotterdam n'est pas encore parfaitement au
point. Notre-Dame n'est pas encore entré dans l'ère
numérique.

Le docteur N écoute mes poumons avec une
patience d'ange. Ce type nourrit une véritable passion
pour son travail. Et pour mes poumons ! J'inspire,
j'expire… J'inspire, j'expire… Il en arrive enfin à la
conclusion que mon poumon droit s'est bien rétabli.

— Mais c'est fantastique ! dit-il sur le ton que je
m'imagine être celui du professeur Tournesol.

Il ose même émettre un avis positif – ah, il est à des années-lumière du docteur L ! – et va jusqu'à me dire qu'il a bon espoir ! Mon cancer est mort et enterré !!! Il a emporté toutes ses métastases dans le néant ! Même Riri, Fifi et Loulou ! Ils sont morts de chez morts !!! Évidemment, on n'est jamais sûr de rien… Mais je suis prête à me battre jusqu'au bout.

Maintenant, il s'agit de réduire les doses. De passer de dix à cinq milligrammes de prednisone – « Prête pour la gloire », c'est comme ça que je l'ai rebaptisé, ce médoc. Je me suis précipitée illico chez le kiné pour travailler mes muscles et ma condition physique. Depuis, j'ai déjà suivi trois séances de gym. Dans deux chimios et un scanner, je serai libre comme l'air jusqu'à l'été ! Cela veut dire six mois sans voir le docteur K et bientôt aussi sans le docteur L et mes infirmières ! On s'habitue à tout, même à la chimio. J'ai déjà montré mon extraordinaire capacité d'adaptation quand mon amoureux est parti, puis quand j'ai quitté mon premier service. Encore un peu, et j'aurais envie de repartir pour une année supplémentaire de chimio, histoire de mettre toutes les chances de mon côté pour éviter une croissance anarchique de métastases…

Jeudi 12 janvier 2006

Je suis tellement enthousiaste que j'oublie d'emporter les images de mon dernier scanner à mon rendez-vous chez le docteur K.

Mon petit cœur est en émoi. J'ai la poitrine en feu, jusqu'à mon bas-ventre. Mes veines se gonflent d'un fluide chaud qui circule dans tout mon corps pour laisser une trace rosée sur mes joues d'habitude si pâles. J'ai le bout des doigts qui picote, les cuisses qui se ramollissent, la gorge qui cherche en vain à happer de l'air frais…

Le docteur K me regarde. Longuement. Cette fois, sa main reste sage et se contente de m'attirer à lui. Il m'embrasse sur les deux joues.

Je suis en plein trip, ou il est en train de me draguer à l'ancienne ? Je ne me trompe pas, pourtant : il me complimente pendant un quart d'heure, il me regarde d'une manière insistante et il ébauche un sourire tendu quand je lui parle de son rôle dans mon livre.

Me voici de nouveau assise dans son cabinet, dans son service, autant dire sous son contrôle. Plusieurs mois se sont écoulés depuis la dernière fois où je me suis retrouvée seule avec lui entre quatre murs. Nous avons eu de nombreux prétextes pour nous envoyer des mails. Et je les ai exploités à fond. De purement médical, le contenu de nos messages a de plus en plus glissé vers la sphère privée. Même si, jusqu'au mois dernier, nous n'avons pas parlé de grand-chose d'autre que de pneumonite et d'endoscopie, il n'hésite pas à me parler du show médiatique qui entoure l'annonce de mon roman. Au début, je commençais mes messages par « Docteur K » et je les terminais par « Cordialement, Sophie », mais j'en suis maintenant à écrire, sans gêne aucune, « Très cher docteur K » et « Bisous, Sophie ».

Le téléphone sonne. Le docteur K part d'un rire tonitruant auquel je ne m'attendais pas. Je ne peux m'empêcher de sourire. Il reprend la conversation, très à l'aise, et me parle de mes poumons, de fibrose, de mon livre… De nouveau, il me pénètre de son regard pendant de longues secondes, suffisamment longtemps pour rallumer mon feu intérieur. Pense-t-il à ses escapades extraconjugales ? Imagine-t-il qu'il m'embrasse fougueusement sur la table d'examen ? Ou est-ce moi qui fantasme ?

Je quitte son cabinet en souriant. Mon téléphone gémit. C'est Rob qui trouve que je suis « une fille fantastique », qui m'adore et qui espère continuer à m'aimer très, très longtemps. Ah bon ? Il l'espère ? Et l'espère-t-il aussi quand il saute sa Miss Longues Jambes ? Je ne sais plus où j'en suis.

Nouvelle manifestation de mon téléphone. C'est Jur. Il veut savoir si tout va bien. De nouveau, je ne sais plus où j'en suis. Je rêve d'un mec qui ne rêve pas de moi et j'ai le feu au corps rien qu'à penser à un toubib qui porte des chaussures à crans. Sophie, Sophie, qu'est-ce que tu veux ?

Vendredi 13 janvier 2006

Je me baladais dans la rue, James Blunt dans les oreilles. Je chantonnais. Un type marchait à côté de moi. D'une main il portait un skate. De l'autre, un sac bizarre d'où dépassait quelque chose d'orange. Je ne voyais pas très bien, mais on aurait dit une immense citrouille. Le gars m'a demandé l'heure.

Cinq minutes plus tard, nous étions en grande conversation. Il m'a parlé de soirées et d'un endroit qui fait à la fois bar, restau et boîte, le Club 11. C'est là qu'il travaille. Ça tombait bien : c'était là que je devais aller le lendemain, avec mon bloc-notes.

J'entre dans un ascenseur qui me conduit au dernier étage. Depuis que j'ai commencé la radiothérapie, j'évite les escaliers, surtout si je dois monter au onzième. Il y a un type dans l'ascenseur. C'est le mec à la citrouille. Il ne me reconnaît pas. Il faut dire qu'hier j'étais Pam et qu'aujourd'hui je suis Emma. Car la fête de ce soir convient mieux à Emma. Je le regarde avec insistance, mais il continue à m'ignorer. Raison de plus pour l'observer tout à mon aise. Je décide de laisser tomber.

Arrivée en haut, je pars à l'affût de photos sympas. Je suis au Club 11 en service commandé. C'est que j'ai une demi-page à remplir pour la revue *NL20*, moi !

— Géniaux, tes faux cils ! J'ai les mêmes ! s'exclame une transsexuelle.

— Merci !

Un type masqué vient m'embrasser, deux lesbiennes surgissent de nulle part : elles portent des piercings et sont maquillées de noir, à part les lèvres, rouge sang. Je décide de leur emboîter le pas.

Et subitement, qui vois-je arriver, sautillant sur ses All Star ? Mister Cravate Folle !

— Hé ! Cravate Folle !

Il se retourne et me reconnaît à la seconde, car il a lu mon article sur les perruques dans le *NRC Handelsblad*. Il m'attrape par la taille et m'embrasse tendrement sur la joue.

— À qui ai-je l'honneur, ce soir ?

— Emma.

— Emma… Elle te va bien ! Tu veux boire quelque chose ?

Il commande une eau et une vodka au bar.

— Je peux toucher ?

— Bien sûr, vas-y !

— C'est une vraie perruque ! Tu veux qu'on se revoie ?

Je fais oui de la tête.

Une fois que j'ai pris en photo ce qu'il me fallait de belles gueules, je range mon appareil et je pars à la recherche d'un responsable.

Un peu plus tard, je disparais derrière la porte d'un bureau, à l'arrière de la salle. Le patron est un beau jeune homme qui tire sur une cigarette au bout cendré dangereusement long en compagnie de trois filles hilares et d'une bouteille de rhum. Je ne m'éternise pas. De toute évidence, je le dérange. Ça tombe bien, moi je brûle d'envie de retrouver mon pote Bernard près de la piste. Il me fait la bise – tout le monde est en forme, ce soir. Il est deux heures du mat' et nous redescendons à pied (l'ascenseur est en panne). On dirait que Bernard marche sur des œufs avec moi. Il me trouve belle et sympa, il me l'a dit, mais il n'ose pas me draguer. Il a peur de me faire encore plus mal.

Je trouve ça gentil de sa part mais, en même temps, pas tant que ça. Ce n'est pas parce que je suis malade que je n'ai pas envie de flirter !

Lui et moi, on s'est rencontrés à la terrasse du Finch. J'avais regardé cet étrange blondinet s'asseoir à côté de moi en pensant : *Beau, y a pas à dire. Avec beaucoup de cheveux, comme je les aime. Et juste le bon âge : dans les trente-cinq ans...*

« Cette belle chevelure blanche vous appartient-elle, mademoiselle ? » m'avait-il demandé.

J'avais souri.

« Non, monsieur. Je peux la retirer quand je veux !

— Ah ! Et sa présence sur votre auguste tête serait-elle liée à des circonstances dont vous préféreriez ne pas parler ?

— En effet.

— Ah ! Puis-je vous proposer un thé à la menthe ?

— Oui.

— Tu dois trouver que je suis chiant à venir m'asseoir près de toi et à te poser toutes mes questions à la con !

— Pas du tout. Je trouve ça très sympa.

— Ouf ! Encore une tasse de thé ? »

Nous continuons de descendre les onze étages du Club 11.

— Bernard ?

— Oui ?

— Tu te souviens du soir où nous nous sommes rencontrés, à la terrasse du Finch ? Tu avais bu ?

— Moi ? Quelques verres, peut-être, mais je n'étais pas soûl. Pourquoi ?

— Tu me trouvais belle, tu t'en souviens ?

— Oui.

— Je le suis toujours, même sans ma perruque blanche ?

Il rit.

— En ce qui concerne les cheveux, c'est même de mieux en mieux !

— La beauté ne va-t-elle pas toujours de pair avec le désir ?

— Euh… oui, je crois. Où veux-tu en venir ?

— Comment ça se fait qu'on ne s'est vus que deux fois depuis ce soir-là ?

— Peut-être à cause de ce type qui te suit partout comme ton ombre…

Je suppose qu'il veut parler de Rob.

— C'est à cause de lui ?

— Peut-être.

— Et si je te disais que je suis de nouveau célibataire ?

— Oui ?

— Tu m'inviterais au restaurant comme tes autres petites copines ?

— Tu en aurais envie ?

— Je ne sais pas, mais *si* j'en avais envie ?

— Peut-être…

— Tu ne crois pas que ton hésitation pourrait avoir un rapport avec le fait que je suis malade et que je risque de mourir ? Je sais, va ! Personne n'a envie de draguer une fille qui a un cancer !

— Sophie…

— Réponds-moi !

— OK, OK… Je ne serais pas tout à fait franc avec toi si je te disais que ça ne m'a pas un peu effrayé. Mais ce n'est pas pour ça que je ne t'ai jamais invitée à sortir avec moi. Je fais très attention avec toi, voilà tout. Disons que je suis moins téméraire.

— Je suis célibataire.

— Ah !

— Bon, et alors ? Ça te fait peur, oui ou non ?

— Qu'est-ce que tu veux ?

— Un bisou !

Bernard m'embrasse.

— Contente ?

— Oui ! Contente !

Je suis chez moi. Le téléphone sonne. Le beau jeune homme d'hier me demande pourquoi je ne suis pas revenue. Je lui ai manqué.

Je regarde les photos que j'ai prises au Club 11 sur mon ordinateur portable. Les cravates succèdent aux pulls rayés… Voici Bernard, un masque, deux lesbiennes…

Et puis le beau jeune homme, avec Emma. À l'arrière-plan, une vue géniale de ce club pas comme les autres.

Date : jeudi 19 janvier 2006 16 : 50
De : Sophie Van der Stap
À : Chantal
Objet : ma chérie

Salut, ma chérie,

Comment tu vas ? Plus vomi depuis mardi ?

Envie de papoter avec toi, mais trop fatiguée pour bouger. Tous ces rendez-vous autour de mon bouquin commencent à me pomper. J'ai tout réglé avec le photographe hier et aujourd'hui. On ira faire les premières photos la semaine prochaine.

J'ai demandé à Backstage (le magasin de perruques) de me sponsoriser pour le maquillage. Histoire d'avoir quelque chose de potable à présenter au visagiste. J'y vais demain. Après la chimio.

Il me reste un reportage à faire ce week-end, ce sera le dernier. Dommage que je doive arrêter ce boulot, mais ça devient trop fatigant. Il vaut mieux que je consacre tout mon temps à mon bouquin. Pour ce reportage, je vais voir ce qu'il y a à l'Odéon. Envie de rester à la maison à siroter du thé.

Gros, gros bisou
On se voit quand ?
XXX

Date : Fri 20 Jan 2006 11 : 43 : 44 + 0100 (Western Europe)
From : « Chan » < chan@chello.nl Add to Address Book Add Mobile Alert
To : « Sophie Van der Stap » <svanderstap@yahoo.com>
Subject : Re : ma chérie

Dis donc, ma jolie !!! T'es sacrément occupée !

T'as l'air très fatiguée toi aussi. Tout c bien passé mardi, mais mes globules blancs ont encore baissé, ça reste à surveiller. Suis crevée depuis plusieurs semaines, je dors + 12 h par nuit. À cause des globules, je crois.

Est-ce que Backstage a accepté de te sponsoriser ?

Suis curieuse !

Passerai chez toi 1 de *ces* 4. Si oui ce message ne sert à rien, sinon il faut vraiment qu'on arrange vite 1 truc à 2.

xx

Chan

Vendredi 20 janvier 2006

— Bon ! dit Hanneke en introduisant la perf dans mon sein en alu pour la presque dernière fois. C'est qui, ce docteur K, dans la réalité ?

Je lui révèle mon grand secret en souriant.

— Aaaah ! C'est lui ! Je le savais ! s'exclame-t-elle. Dire que, quand tu es passée à la télé, tu as rencontré mes deux chouchous ! Ah, comme j'aimerais voir

219

Cees Geel en chair et en os ! Il a l'air si sympa et si gentil ! Et Matthijs, quel bel homme !

J'ai un peu pitié d'elle, mais ce sont les petits avantages qui vont avec les gros inconvénients...

— Viens à la présentation de mon livre ! Tu auras peut-être l'occasion d'échanger quelques mots avec Cees !

— Je ne manquerais ça pour rien au monde ! Dis-moi, tu t'es bien amusée avec David, hier, hein ?

Oui, je dois dire qu'on a eu un beau fou rire, le médecin chef de salle et moi. Pendant qu'il actionnait la pompe de mon pied à intraveineuse, je m'étais assise bien droite, les seins en avant, pour ne pas entraver la circulation de la chimio dans mon corps. Il a réussi à m'arracher mon numéro de portable – ce qui, en soi, n'est pas si difficile – en prétextant qu'il devait pouvoir me joindre à tout moment. Après j'ai eu droit à un pack de yaourts et à plusieurs tasses de thé pour la belle Pam.

Non, mes jours et mes nuits à Notre-Dame n'ont pas été aussi pénibles que le croient les gens. Mais qu'ils continuent à m'envoyer des fleurs et de la tarte ! Au moins, j'aurai toujours une bonne raison pour entrer dans le cabinet du docteur K (en plus de mes mèches blondes collantes de transpiration que je rejette nonchalamment derrière moi) :

« Un morceau de tarte, docteur ? »

Vendredi 27 janvier 2006

La morgue se trouve au même niveau que le parking. Impossible de ne pas la voir en passant par le rez-de-chaussée de Notre-Dame. Aujourd'hui, j'accompagne Chan pour la première fois.

— Horrible, hein ? Dire que je vais me retrouver là !

Oui, c'est horrible. Nous pensons à cette perspective peu réjouissante en traversant le hall, direction radiologie. Je n'en mène pas large. Il ne faut pas demander comment Chantal se sent !

Eh bien, elle est hyperdétendue. Comme si elle avait accepté le verdict de sa condamnation à mort. Moi, tant qu'on ne me l'a pas annoncée en face, je suis sur des charbons ardents. J'ai peur. Peut-être plus encore que Chan, paradoxalement.

Nous ne nous enfonçons pas la tête dans le sable pour autant. D'avoir perdu toutes nos certitudes, c'est comme si nous y avions gagné une grande évidence au change. L'écrivain Karel Glastra Van Loon parle à ce propos de « seconde vie », lui que le crabe a pourtant tué alors qu'il n'avait que quarante-deux ans. Dans le livre qu'il a consacré à son expérience de la maladie, il écrit que, quand il a appris qu'il avait un cancer, il s'était senti plus heureux, mieux dans sa peau et davantage lui-même que jamais. Je veux bien le croire : c'est ce qui arrive à Chan, et à moi aussi. Ça n'empêche pas la peur. La peur de la mort solitaire en bout de course.

— Inspire ! Retiens ton souffle ! Expire ! dit Chantal en refermant la porte derrière elle.

Me voici revenue huit mois en arrière. « La princesse Maxima est enceinte, lis-je dans un magazine. La petite Amalia va avoir de la compagnie. La layette sera-t-elle rose ou bleue ? »

De retour à la maison, j'ôte ma perruque et j'examine mes yeux attentivement. Depuis quelques jours, imperceptiblement, mes cils se sont remis à pousser. Je m'applique mes plus longs faux cils recouverts de paillettes d'or et j'opte pour Emma. L'éclat de mes cils me rend suffisamment blonde pour ce soir.

Une fois assise au bar, je ne peux m'empêcher de ciller. Quincy vient m'embrasser et passe un bras autour de mes épaules.

— Un thé à la menthe ?

— Deux, s'il te plaît !

Je me suis fait un nouvel ami qui, comme moi, boit des litres de thé à la menthe et d'eau le vendredi soir. Il descend tendrement son bras dans mon dos, mais accroche Emma au passage et la fait tomber. Je rougis. Quincy m'aide précipitamment à remettre Emma en place.

— T'en fais pas ! Personne n'a rien vu, va !

Nous rions comme des baleines.

Vendredi 10 février 2006

En me rendant à ma dernière chimio, je repense en souriant à la cinquante-quatrième croix que j'ai tracée dans mon agenda. De la maison à l'hôpital, le trajet me prend quarante minutes. Je suis seule, comme la plupart des autres fois. Sans ma mère, sans ma grand-mère, sans ma frangine, sans Chan. J'ai acheté des chocolats pour le docteur L. On voit des cœurs partout, c'est bientôt la Saint-Valentin. J'ai tout de suite pensé au docteur K, mais j'ai suffisamment empiété sur le territoire de sa femme durant l'année qui vient de s'écouler. Et le docteur L ne trouverait pas ça marrant. Bref, cette année, je n'offre aucun cœur à personne.

Judith est seule, aujourd'hui, pour me connecter au pied à intraveineuse. Elle me demande de l'aider et de tenir l'aiguille et la vis du boîtier. En moins de temps qu'il n'en faut pour l'écrire, je m'asperge maladroitement de liquide avant qu'elle n'enfonce l'aiguille dans mon port-à-cath. C'est quand même incroyable ce que les infirmières peuvent gaspiller !

Un peu plus tard, je descends dans le hall, avec mon ami l'échalas. Je sens que mon sein artificiel attire tous les regards. Au coin café le plus chic de Notre-Dame, je suis attendue par l'équipe de tournage de l'Association néerlandaise contre le cancer.

« Vous avez une façon si personnelle et si encourageante de présenter les choses, m'a dit Inge au téléphone il y a quelques jours. Nous avons vraiment envie de vous filmer dans notre clip ! Le but est de soutenir la plus grande campagne de récolte de fonds pour la lutte contre le cancer aux Pays-Bas. »

J'ai dit oui sans réfléchir. Me voici de nouveau sous les feux de la rampe. Ce que ces gens trouvent de plus intéressant en moi, ce sont mes perruques. Bien d'accord avec eux ! Ils ne me demandent pas grand-chose : faire mon petit tour habituel avec mon ami l'échalas, brûler un cierge à la chapelle, saluer les patients de mon ancien service, le C6, prendre ma chimio… et sourire de temps en temps. Fastoche ! Et horriblement difficile, au milieu de tous ces cancéreux…

Le docteur L reçoit ses chocolats avec un beau sourire chaleureux. Son bureau est un vrai capharnaüm. Des dossiers s'empilent un peu partout à même le sol, menaçant de s'effondrer. Il s'excuse et, comme à son habitude, me gratifie d'une ferme poignée de main.

Nous discutons de mon bilan sanguin et nous fixons le prochain rendez-vous. Quelque chose a changé : je ne suis plus une patiente qui espère guérir, mais une jeune femme qui espère être guérie et qui a bien l'intention de ne plus jamais remettre les pieds ici. Mes résultats sanguins n'ont jamais été aussi bons. Mes prochains rendez-vous ne seront rien d'autre que des examens de contrôle.

Je dis au docteur L que je me sens réellement mieux, que je récupère, que je retrouve toute mon énergie. Et que je suis certaine que le cancer est parti. Je suis rayonnante.

— Je dois vraiment retirer mon port-à-cath ? Ne vaudrait-il pas mieux que je le garde encore un petit peu pour plus de sûreté ?

— Vous vous sentez bien, non ? dit le docteur L. Vous venez de me le dire ! Non, c'est certain : c'est le bon moment !

Un ange passe. Nous redressons la tête en même temps. Mes yeux expriment une foule de pensées. Les siens aussi. Nous laissons tant d'incertitudes derrière nous ! Nous avons eu tant de conversations avant de pouvoir nous dire ce que nous nous disons aujourd'hui !

Il exprime tout haut ce que je pense tout bas :

— Vous me manquerez !

Gloups ! Docteur Love ne m'avait pas habituée à tant de chaleur !

L'équipe de tournage a fini avant moi et me laisse seule avec les infirmières et les autres patients. Je papote encore un peu avec ma voisine – c'est fou comme les cheveux tombent vite, mais ils finissent tout de même par repousser. Nous clôturons cette conversation en espérant ne plus jamais nous revoir. Une phrase banale à force d'être dite et redite en traitement de jour, mais pourtant la plus gentille qui puisse s'échanger.

À la fin de ma chimio, je me sens en superforme. Dehors, je prends le tram 7 au lieu du taxi. En chemin, je m'achète quelques livres. Depuis que Chan m'a dit que celui de Ray Kluun était triste, d'accord, mais surtout magnifique, j'ai très envie de le lire. Il y a une paire de tennis et une botte en croco sur la couverture, mais je ne sais pas encore pourquoi. Je m'offre aussi des biscuits. *En plein cœur* sous le bras, j'entre au Finch. Il est dix-sept heures, la place du Noordermarkt commence à se remplir et je suis heureuse. Ma dernière chimio est derrière moi.

Faire les cafés jusqu'à la fermeture, fumer, être tirée de mon lit par ma voisine qui me téléphone pour causer de la méthode Pilates au petit matin, parler mecs… Je suis de nouveau dans la course !!!

Lundi 13 février 2006

Maintenant que la cinquante-quatrième semaine est passée, que j'ai serré une dernière fois la main du docteur L et que j'ai signé mon contrat, c'est officiel.

Je suis écrivain ! Et les écrivains lisent, ont leur avis sur tous les livres et connaissent tous les potins du milieu littéraire.

Je commence à entrer dans mon rôle et j'aime ça. Mon ordinateur portable et moi, nous sommes devenus inséparables. Je suis à peine levée que je vais taper quelques lignes. Au petit déjeuner, je réfléchis. Je me remets au lit pour écrire encore un peu. Car les mots coulent à flot continu. Bref, j'écris tout le temps !

Le tournant qui vient de s'amorcer dans ma vie commence à ressembler franchement au scénario qu'évoque Harry Mulisch dans *La Découverte du ciel.*

La route semble toute tracée, tout s'enchaîne, je n'ai qu'à suivre…

Et ça continue ! Je prends un café avec Cees Geel, je déjeune avec le réalisateur Eddy Terstall, je ponds des articles pour *NL20*, je pars en voyage de presse pour *Cosmopolitan*…

Jeudi 16 février 2006

Il neige ! Les flocons tourbillonnent par milliers le long de mes hautes fenêtres. Vêtue d'une jupe Wolford noire et de bas ultrafins qui auront bientôt filé, je monte dans une voiture inconnue. Paillettes et perruques : ce soir, je sors ! Mes longues boucles blondes se remarquent à peine. Pour se mettre dans l'ambiance, la plupart des fêtards ont eu l'idée de se coiffer d'une tignasse synthétique. Folle de joie, je déambule entre ces créations archi-osées, n'hésitant pas à changer de tête plusieurs fois. Des boucles roses, je passe aux ondulations blanches, puis carrément au look afro. Pour l'occasion, Mister Cravate Folle – eh oui, c'est lui qui a eu la bonne idée de m'emmener là ! – a passé un costume rayé en velours.

Sur la piste, entre les corps en sueur, il vient tout contre moi. Mon corps est moulé dans un mince tissu élastique qui souligne mes rondeurs. Les cheveux de Bébé s'ébrouent sauvagement, mes lèvres s'ouvrent en cadence au rythme de la musique. Sa main glisse lentement dans le bas de mon dos avant de remonter lestement. Il répète ce geste plusieurs fois jusqu'à ce que je lève les yeux et que je les plante dans les siens, qu'il a grands et d'un bleu magnifique. C'est la nuit, c'est maintenant que ça se passe, et j'en profite. Ici et maintenant. Dans le noir. Ces minutes secrètes sont à nous… Il resserre l'étreinte de sa main sur ma taille, la déplace vers mon nombril. Il me touche le ventre. J'en ai des frissons sur tout le corps. Il recommence. J'ai terriblement envie de lui. Nous nous regardons. Lui aussi, il a envie de moi. Nous ne voulons même que ça. Sa main moite se faufile entre mes doigts, cajoleuse. Nous filons. Loin de la piste, loin des corps en sueur, direction la voiture ! Je suis arrivée en Bébé, je repars en Cicciolina, avec une perruque blonde oxygénée terriblement sexy, que j'ai reçue en souvenir.

— Tu montes ?

Il est une heure du matin.

— Je suppose que ce n'est pas pour m'offrir une tasse de thé, dis-je, tout excitée à l'idée de ce qui s'annonce.

Nous partons à l'assaut d'un escalier long et raide où je trébuche plusieurs fois avant de passer devant une chambre, une salle de bains et une cuisine plongées dans le noir. Arrêt.

— Je n'ai que du thé d'églantier.

Manifestement, Mister Cravate Folle n'est pas un grand buveur de thé. Pendant que l'eau chauffe, nous nous lançons des regards qui en disent long. Tout à coup ses lèvres sont sur ma tempe, ma pommette, dérapent tout doucement vers ma bouche. Après des heures de désir contenu, nos lèvres se trouvent enfin. J'en veux plus. Je veux sa bouche, sa bouche, sa bouche, encore ! Je veux ses mains sur moi ! Je veux ses bras autour de moi ! Nous disparaissons dans une pièce plongée dans l'obscurité.

Ses lèvres courent lentement sur mon corps. Ses doigts s'introduisent en douceur. Ma gorge émet de petits sons, mon dos se cambre… Je fais l'amour. Je fais l'amour et je voudrais me laisser totalement aller – mais je n'y arrive pas.

Un flot de pensées m'assaille. Je vois des blouses blanches, des seringues, le docteur L – et Rob. Une larme coule. Sur mon aisselle, sur ma cuisse, sur ma joue. Je repense à Rob et à moi, à l'intimité que nous partagions. Et que je ne ressens pas maintenant. Rob me manque !

Mon histoire me hante. Il faut que je la dépose quelque part, il faut que je la laisse derrière moi, il faut que je fasse de la place en moi pour les autres et pour de nouvelles aventures. Mais je n'y arrive pas. Parce que je me sens en sécurité dans cette histoire.

Je m'endors en pleurant tout bas, et je pleure encore au réveil. Il fait nuit. Il me faut un certain temps avant de comprendre où je suis. Un terrible sentiment de solitude s'abat sur moi. Je suis allongée sur le flanc droit, le dos tourné vers ce corps qui partage le même lit que moi. Il me touche de son pied gauche, mais c'est le seul point de contact entre nous. Je me retourne pour me blottir contre sa chaleur endormie et pour chasser ce vide subit qui m'envahit. Mais plus j'essaie de me rapprocher de lui, plus je sens que je m'éloigne de moi. Rob est là, dans mes pensées, dans mon cœur. Le corps étranger contre lequel je me serre me semble glacé et tellement lointain…

Vendredi 17 février 2006

Le matin, j'ai rencontré Jan dans la rue, juste avant mon premier café. A-t-il senti que j'avais pleuré cette nuit ? Qu'à l'aube, quand le monde était encore endormi, j'avais tenté de me laver de mon chagrin en prenant une douche à la lueur d'une bougie ?

Non, bien sûr que non. Comment aurait-il pu le deviner alors que je l'avais déjà oublié quand je me suis endormie et que je ne m'en suis souvenue qu'à la tombée de la nuit ? Il reste tant de choses enfouies en moi, tant de mystères pour les gens qui m'entourent et pour moi-même, à chaque nouveau jour qui commence...

Il y a les sautes d'humeur... Les larmes soudaines... Les pleurs surgis de nulle part... Cela commence doucement, lorsque j'épluche un oignon, mais ça ne s'arrête pas, et je sanglote de plus belle. De grosses larmes roulent sur mes joues. Je les arrête sur mes lèvres d'un coup de langue. C'est salé. Je continue à jouer du couteau sur la planche à découper, au rythme de ma respiration, en cherchant le calme en moi. C'est difficile. C'est même très difficile, après toutes ces consultations sur l'évolution de mon cancer, ces dîners d'anniversaire et ces verres de vin...

Fuyant ma peur et mes larmes, je m'enfonce dans la nuit !

Jeudi 23 février 2006

Mais je me pose encore des questions. Évidemment, je me fais du souci pour ta santé. C'est certain que tu es en train de guérir ?

Sans compter tous les effets secondaires de la chimio sur ton corps. J'espère que tu me comprendras, mais les accidents de perruques, les boîtiers implantés entre tes deux seins et les surprises du même acabit,

non, vraiment, ce n'est pas ce que je cherche quand je
sors avec une fille.

Aïe ! Comme ça fait mal ! Je serai donc jugée et congédiée sans autre forme de procès ? Adieu Mister Cravate Folle et Emma ! Bah ! Nous n'avions pas fait grand-chose d'autre que de sortir en boîte. Bien sûr que ça n'a rien à voir, que j'ai un cancer, que je suis peut-être en train de mourir, que j'ai de drôles de cicatrices et que je trimbale toute une histoire avec moi…

Mais si, évidemment. Ça fait fuir les mecs. Les mecs qui ont déjà bien assez de problèmes comme ça. Les mecs qui s'effraient pour un rien, genre un petit cancer de rien du tout… Les mecs qui tournent de l'œil à la vue d'une seringue…

« Une fille qui a un cancer doit se démener bien plus qu'une fille normale pour attirer un peu l'attention, non ? »

Ce genre de conversation, j'y ai surtout droit au café. Je me réchauffe à la chaleur d'une tasse de thé en face d'un type qui me sort une ânerie de ce genre en expirant la fumée de sa cigarette juste avant de porter son verre à sa bouche. Marre ! J'en ai marre ! Comme si j'étais une arriérée ! Bien sûr, c'est différent, je le sens bien, mais je continue à draguer. Et je continue à faire du genou aux mecs sous la table et à leur sourire. Il y a juste une petite différence : je sais que je ne les accompagnerai pas chez eux. Ni ce soir ni demain. Ce n'est pas agréable, quand on a une tronche marquée par le cancer.

Alors je dresse un plan de campagne, du premier verre au coucher. Quand un homme me regarde avec insistance, ça peut vouloir dire trois choses : je lui plais, je devrais me moucher ou il se rend compte qu'il y a quelque chose qui cloche. J'ai toujours peur que ce soit la troisième option qui l'emporte. Mes perruques me font honte. Et si ce type remarquait qu'un duvet brun-châtain repousse sous mes fausses boucles blondes ?

Je suis pleinement consciente de l'effet que je peux faire avec mes coiffures qui sont tout sauf passe-partout. Mais, contre toute attente, cet intérêt de la gent masculine me rend aussi vulnérable et me met parfois mal à l'aise. Lorsque Matthijs m'a interviewée, il a dit qu'il y avait un secret dans ma vie. Cette jeune fille qui sortait la nuit parée de ses plus beaux atours et qui se laissait embrasser par des inconnus sans rien montrer du malheur de sa vie l'intriguait.

Et pourtant, le matin, cette jeune fille trimbale toujours son secret. Elle se rend compte que les gens la regardent, certains la complimentent même sur ses cheveux. Comme ça, de loin, c'est agréable, mais le regard paniqué de la vendeuse quand je sors de la cabine d'essayage avec ma perruque de travers l'est beaucoup moins. Il me renvoie subitement à ma solitude, car je sais que, plus que jamais, cette maladie rare qui effraie cette femme fait véritablement partie de moi.

Parfois je sais que les hommes voient en moi une blonde sexy et que je les fais fantasmer. Je préférerais ne pas capter les regards de ce genre, car je ne peux pas m'empêcher de me demander s'ils auraient la même réaction si j'étais assise au bar avec l'apparence d'Emma ou de Sue. Ou avec mon fin duvet. Ils ne connaissent pas la version boule à zéro de ma personnalité. Ils ne m'ont jamais vue chauve dans mon lit, chauve sous la douche, chauve dans mon peignoir blanc, chauve quand je me déshabille et que ma perruque a glissé avec mon pull. Que diraient-ils ? Ces hommes ignorent tant de choses de moi… Entre eux et moi, oui, il y a un monde de différence.

C'est ça, mon secret. Et j'aime ça, car je n'ai ni l'envie ni l'énergie de parler de moi et de ma maladie pendant des heures. Je ne veux pas éveiller la compassion, l'incrédulité ou la peur. Je ne veux consacrer aucune parcelle de mon temps à ces gens qui s'empressent de détourner le regard. Ni à ceux qui me fixent avec des yeux en boule de loto, qui restent tout bêtes quand ils apprennent que je porte une perruque et qui s'exclament : « Non ? C'est vrai ? » Dans pareil cas, je prends mes jambes à mon cou, à la recherche de quelqu'un capable de comprendre que le cancer peut faire partie de la vie. Pas seulement de la mienne, mais peut-être de la sienne aussi, un jour.

Qu'ils croient donc que je suis une pétasse blondasse qui se vernit toujours les ongles des orteils en rouge ! Qu'ils me prennent pour une écrivaine à la chevelure rousse indomptée qui ne se déplace jamais sans son carnet de notes ! Qu'ils pensent que je suis une politologue en herbe passionnée quand ils voient ma silhouette penchée sur les livres, à la bibliothèque universitaire ! Cela m'est égal, car c'est la vérité. Pas ma seule et unique vérité, mais une de mes nombreuses vérités…

Mardi 2 mai 2006

— Sophie ! Sophie ! claironne une infirmière.

Je me réveille. Maman est là, à mon chevet. Ouh ! Comme j'ai dormi longtemps ! C'est agréable, cette

anesthésie ! Je fixe la silhouette de ma mère plus longtemps que d'habitude, jusqu'à ce que ses contours se
fassent plus précis. Soudain, je la revois avec mes
yeux d'il y a deux ans. Elle porte exactement la même
coiffure qu'avant. Elle me paraît plus jeune, moins
soucieuse, plus elle-même. Comme elle est belle !

— Comment allez-vous ? demande l'infirmière.

— J'ai encore envie de dormir…

— Pas de problème ! Vous avez mal ?

— Non.

Je me redresse un peu sur mon oreiller et je baisse
la tête, à la recherche de mon troisième sein. Il a disparu ! À la place, il y a une drôle de bosse.

— Où est-il ?

L'infirmière me montre le port-à-cath. Je ne l'avais
jamais vu. Il est très différent de ce que j'avais imaginé. C'est un simple boîtier blanc en plastique qui n'a
vraiment rien de futuriste.

— Je voudrais le garder.

Jeudi 4 mai 2006

— Je sais que c'est embêtant, mais il y en a vraiment trop peu. Il faut compter une livre par personne.
Il y a beaucoup de pertes, avec les épluchures.

Annabel regarde d'un air désolé les vingt asperges
blanches qu'elle tient dans sa main. Y a pas photo. La
balance indique exactement un kilo trois cent cinq, et
d'après sa mère, Eva, il manque au moins cinq cents
grammes.

C'est le printemps ! Les asperges reviennent. Mes
cheveux aussi.

Vendredi 5 mai 2006

Ma frangine promène doucement le bout de ses doigts sur mon bras, du poignet à l'épaule et de l'épaule au poignet. Elle passe sur ma cicatrice et sa drôle de bosse. Il me faut bien deux heures avant de trouver le sommeil. Elle me câline toujours ainsi quand elle a envie de me faire plaisir. Nous sommes tellement près l'une de l'autre que nos fronts se touchent.

Vendredi 12 mai 2006

PINK RIBBON ; les deux mots anglais s'affichent en capitales sur le ruban rose que je viens de glisser à mon poignet. En cherchant le rayon des thrillers et des best-sellers, je passe à côté d'une pile du nouveau bouquin de Ray Kluun : *Au secours ! Ma femme est enceinte*[1] *!*

— Il est aussi bon qu'*En plein cœur*, il paraît, mais ce n'est pas un livre pour moi ! dit Chantal en mettant le cap sur une autre pile.

Comme elle doit se sentir seule dans un endroit comme celui-ci, où chaque livre parle d'amour, de mariage, d'enfants, de bonheur et de vieillesse !... Pour elle, tout cela appartient désormais au passé...

Nous nous offrons un dernier verre à la terrasse du Pilsvogel. En tripotant mon ruban rose, je me rends compte que j'ai perdu le bracelet jaune de Lance Arm-

---

1. *Help, ik heb mijn vrouw zwanger gemaakt*. Non traduit en français. (*N.d.T.*)

strong. Encore ! Le jaune, pour moi, symbolise un tas d'êtres qui me sont chers : Marco, Salvatore, Rob et Lance. Le rose, c'est Chan, emprisonnée dans un corps rongé par le cancer. Celui-là, pas question que je le perde.

Chan carbure au vin, moi, au thé. Elle est très bronzée, je suis très pâle, mais elle est en train de mourir et je suis en train de guérir. Pendant que je grignote une aile de poulet, elle m'explique qu'elle en a jusque-là. Elle n'est plus qu'amertume.

— Plus rien ne m'amuse. Je ne sais pas à quoi ça tient, mais quand je me réveille, je n'ai envie de rien.

Je dévore mon aile de poulet.

— Tout le monde pense que je prends du bon temps parce que je passe ma vie au café, à rigoler, mais si je suis là, c'est uniquement parce que je suis seule, point barre.

Je m'empare d'une nouvelle aile de poulet.

— Dans dix ans, mon bras sera inutilisable, d'après les toubibs. À cause des rayons.

— Bah ! Tu t'en fiches ! Tu ne seras de toute façon plus là !

— Tu es sûre que tu ne veux pas boire un verre de vin avec moi ?

— Non, merci.

— J'ai souvent la migraine, ces temps-ci. J'ai tellement mal que ça me réveille parfois la nuit.

— Ça te tracasse ?

— Je ne sais pas, dit-elle en haussant les épaules. Il m'est arrivé des choses bizarres, cette semaine.

— Quoi, par exemple ?

— Hier, quand Ellen est venue me voir, j'ai mis la clé dans la serrure, mais je ne savais plus ce qu'il fallait faire pour ouvrir. Même chose aux toilettes. Je ne savais plus tirer la chasse !

— Eh bien ! Ça va puer !

Chan ne rit pas. Moi non plus.

— Tu es allée voir ta toubib ?

— Elle est en vacances.

— Oui, mais bon… Elle a sûrement un remplaçant…

— Oui, oui… De toute façon, je la vois jeudi. Je lui en parlerai.

— Chan, jeudi, c'est dans une semaine ! Tu ne ferais pas mieux de consulter avant ?

— Je verrai bien…

Samedi 13 mai 2006

C'est le soir. Le téléphone sonne. Chan.

— Salut, ma jolie ! Comment vont tes migraines ?

— Pas bien du tout ! Je suis à l'hôpital depuis ce matin. J'ai passé une nuit d'horreur. J'ai appelé Dave et il m'a tout de suite amenée ici. Il faut attendre, attendre, attendre… Tu connais !

— Et alors ?

— Rien. Ils ne font pas de scanner le samedi. Je dois attendre lundi.

— Une IRM ?

— Oui, c'est ça.

— Tu veux que je vienne ?

— Non, ce n'est pas la peine ! Je suis beaucoup trop nase. Une bonne dose de morphine et hop ! au dodo !

— D'accord, ma belle. Je t'appelle demain. Passe une bonne nuit !

Midi. J'envoie un texto à Chan. Pas de réponse. Je l'appelle. Pas de réponse non plus. Je rappelle une heure plus tard. C'est Ellen qui décroche. J'en ai déjà les mains moites.

— Bonjour, Ellen, ici Sophie. Comment va Chan ?
Silence. Hésitation.

— Sophie, Chan ne se sent pas très bien. Elle te rappellera dans le courant de la semaine, d'accord ?

— Oh là ! Je peux venir ?

— En fait, nous étions en train de partir.

— Où ça ? A l'hôpital ?

— Oui.

— Je peux venir la voir ?

— Je pense que ça ne servirait à rien. Elle passe son temps à vomir et à cracher. Elle est au trente-sixième dessous.

— Merde !

— Écoute, je vais te donner mon numéro. Appelle-moi quand tu veux.

Je suis en train de noter le téléphone d'Ellen quand mes premières larmes tombent sur la table. Pour Chan, qui va mourir. Maintenant ? Dans quelques semaines ? Plusieurs mois ? Des années ? Je ne me suis jamais sentie aussi impuissante pour quelqu'un.

Une demi-heure plus tard, j'arrive à l'hôpital Antoni Van Leeuwenhoek, en nage, épuisée et légèrement hystérique. Il y a deux bancs et un espace fumeurs devant le bâtiment. Je m'assieds pour pleurer à chaudes larmes. Il est dix-huit heures trente, le soleil brille, mais je ne le sens pas. Je porte mon manteau d'hiver.

Je devrais savoir ce qu'elle accepte qu'on lui dise et ce qu'elle refuse d'entendre. Pourtant, je suis complètement dans le noir. Ai-je le droit d'être là ? Suis-je censée faire la dure, comme Chan ? Et raconter des blagues ?

Au pied de son lit, je la regarde partir lentement. Chantal s'efface peu à peu, tandis que le cancer progresse pas à pas. Alors qu'en moi Sophie progresse pas à pas et que le cancer s'efface peu à peu. L'une s'éloigne de la mort tandis que l'autre s'en approche. Est-ce une force primale qui m'a fait revenir de si loin ? Et qui m'a aidée à trouver ma créativité, à la développer et à écrire mon histoire ?

Lundi 15 mai 2006

Deux choses au programme, aujourd'hui. Mon scanner à neuf heures et une visite à Chan, pour être auprès d'elle, simplement, et lui montrer que je l'aime.

En glissant dans le scanner, je pense au pronostic de mon cancer et à celui de Chan. Tu parles d'un réveil : voir sa copine dans la merde alors qu'on a été sur un petit nuage pendant des mois ! Après la pluie, le beau temps. Le soleil c'est pour moi, l'orage c'est pour elle.

— Hé ! Mais regardez qui voilà !

Annemarie referme le dossier qu'elle avait devant elle et prend l'enveloppe d'un mètre carré que je lui tends.

— Tes cheveux sont bien, comme ça !

— Oui, hein ? Cette fois, ce sont les miens ! J'ai juste triché un peu sur la couleur…

— Alors, quoi de neuf ?

Je l'informe en souriant des derniers rebondissements de ma vie de célibataire et d'auteur débutant.

Venu lui aussi aux nouvelles, le docteur L se joint à notre conversation. Lui ne s'intéresse pas à mes cheveux blonds, mais à l'état de mon organisme. Après la valse de mes perruques, plus rien ne l'étonne.

— Alors, comment vous sentez-vous ?

— Bien.

— Aucun problème nulle part ? Plus d'élancements ni de picotements ?

— Non.

— Vous allez au scanner ?

— Non, j'en viens. On se voit demain ?

— Oui, tant qu'on y est. Je suppose que les résultats seront bons !

— J'espère.

— Ils vous vont bien, ces cheveux !

— Merci !

Pour aller au quatrième étage, je dois passer devant la morgue.

« Horrible, hein ? Dire que je vais me retrouver là ! » Les mots que Chantal avait prononcés l'autre jour me reviennent en mémoire et me donnent tout autant la chair de poule. Quel est le con d'architecte qui a imaginé ce bâtiment ?

À l'hôpital Antoni Van Leeuwenhoek, toutes les femmes portent les cheveux courts. Moi aussi, aujourd'hui. On y voit aussi quelques boules à zéro, quelques perruques et quelques foulards. Chantal a les cheveux les plus longs et les plus épais de toutes, mais c'est aussi elle qui est la plus malade. Quatrième étage, aile C, chambre 1. C'est là. L'écriteau accroché à sa porte en dit long : NE PAS DÉRANGER.

Debout à côté de son lit, je pense à la solitude qu'elle doit ressentir, parce qu'elle est la première à partir.

— Montre le *JAN* à Sophie ! dit-elle à Ellen.

— Page 64, me précise son amie en me tendant un magazine.

Je tourne les pages jusqu'au moment où je tombe nez à nez avec une Chan rayonnante. Sous sa photo, cette légende : JE DOIS VIVRE… À CORPS PERDU !

Chantal aussi est sous les projos !

Chantal Smithuis (34 ans) souffre d'un cancer du sein incurable. Les médecins lui donnent une espérance de vie de moins de deux ans. Elle témoigne dans JAN pour donner la parole à toutes les femmes qui souffrent en silence. Et pour expliquer comment elle parvient à être plus heureuse que jamais, même si elle en est la première étonnée.

Par-dessus la revue, je regarde la jeune malade abrutie par la morphine et le dexaméthasone, le grand frère de la prednisone. Même ici, c'est une battante. Je lui parle tout doucement, elle me répond d'une voix languissante.

— J'avais peur de ça. D'être hospitalisée… C'est le début de la fin !

Je ne réponds pas. Son amie se lève. Elle va prendre un bol d'air avec les chiens – les deux labradors blonds de Chan, qui vivent chez son ex. La chambre sent le bouillon de poule. Je remarque le gobelet en plastique posé sur la tablette, à côté de son lit. Elle vomit et crache en même temps, dans un récipient en carton, comme à Notre-Dame. Ça fait trois jours que des hélicoptères vrombissent dans sa tête.

Lorsque le rideau s'ouvre, nous levons la tête tous les trois en même temps, Chan, son ex et moi. Surgit un visage soucieux et ridé. C'est son neurologue. Derrière lui, une infirmière. Le neurologue nous serre la main avant de se pencher vers Chantal.

— Les résultats ne sont pas bons. Nous avons trouvé des métastases dans le cerveau.

Le médecin n'y va pas par quatre chemins. J'avale ma salive et je regarde Chantal, la plus forte de nous tous.

Elle est en colère.

— Trente-quatre ans ! dit-elle. J'ai trente-quatre ans ! Bordel !

C'est la première fois que je la vois pleurer.

— Nous devons vous faire passer aux rayons. Tout de suite.

— Ça va servir à quelque chose ?

— Oui, il y a de fortes chances que nous arrivions à nous en débarrasser.

— Je vais perdre mes cheveux ?

— Oui.

— Combien de métastases y a-t-il exactement ? demande son ex.

— Il y en a partout, dans tout le cerveau.

— Bordel ! C'est la troisième fois ! Ça va à une vitesse folle ! Tu te sens bien, tu passes plusieurs mois pépère sans chimio, et puis, paf ! Des métastases dans le cerveau !

Elle me regarde.

— C'est tout bon pour ton bouquin, ça !

Elle n'a pas perdu son sens de l'humour. Elle me fait penser à Simon, le personnage du film d'Eddy Terstall, qui avait demandé à voir un chirurgien *tumoristique*.

J'embrasse Chan et je quitte l'hôpital. Le tram arrive. Je me mets à courir, courir, courir, de toutes mes forces.

Mardi 16 mai 2006

Fin de l'histoire ? De mon histoire ? Rob marche à mes côtés. Nous entrons dans le hall de Notre-Dame. Je trouve ça bien qu'il soit de nouveau là, mais c'est de Jur que j'aurais besoin maintenant, car il est le seul à pouvoir chasser ma peur. Nous nous asseyons sur les chaises disposées en arc de cercle dans l'entrée du service.

Je surveille les aiguilles de l'horloge, j'observe les visages gris des gens qui passent, je balance les jambes, je regarde Rob. Il me pince l'épaule, m'embrasse. Cela dure à peine une minute avant que le docteur L ne s'avance vers nous. Il sourit.

Je pousse un soupir de soulagement.

— OK, tout va bien. Je le vois à son sourire. On peut repartir.

Rob rit.

— Madame Van der Stap !

En dehors de son cabinet, je suis toujours une dame pour lui.

Je me lève, je serre la main du docteur L et j'essaie de m'accrocher à son sourire. Ça marche.

— Bon ! Tout se présente parfaitement bien ! Il y a encore eu une amélioration, grâce aux rayons, selon toute vraisemblance. Comment vous sentez-vous ?

— En pleine forme ! Vous êtes là à la fin du mois d'août ? Je présente mon livre !

Le docteur L ne peut s'empêcher de rire comme un gamin.

— Je n'oserais pas rater ça !

— Comment était ton scanner ?

— Bon, dis-je doucement. Mais je n'ai pas trop le cœur à la fête, alors que tu as des métastases plein la tête.

— Dis, bravo ! Je suis contente ! Toi au moins tu t'en sors !

Mardi 30 mai 2006

— Message original —
Envoyé le : mardi 30 mai 2006 04 : 27
De : Sophie Van der Stap
À : docteur L
Objet : peur

Très cher docteur L,

J'ai un peu peur. Je ressens des élancements, pas sur le côté comme la première fois, mais dans le bas du dos, constamment. J'ai l'impression qu'ils s'intensifient peu à peu, alors que ça fait des mois que je n'avais plus rien senti.

Est-ce que ça peut être dû aux rayons ? J'ai bonne mine et je me sens en pleine forme. Physiquement, je vais de mieux en mieux.

J'ai commencé à noter mes élancements, pour savoir s'ils s'aggravent réellement ou pas. Qu'est-ce que vous en pensez ?

Bisous,
Sophie

Date : Tue, 30 May 2006 09 : 40
De : docteur L
À : Sophie Van der Stap
Objet : Re : peur

Chère Sophie,
Je ne peux rien avancer avec certitude. Le fait que vous vous sentiez si bien est bon signe. Si les élancements persistent, demandez à avancer votre prochain rendez-vous. Vous me tenez au courant ?
Docteur L

Lundi 19 juin 2006

Je lis le journal. À ma grande honte, je me dois d'avouer que je ne comprends pas de quoi parle la caricature de Kamagurka. Ai-je vraiment étudié les sciences politiques, moi qui ne comprends pas un simple petit dessin humoristique ? Où ai-je la tête ?

Pas dans le journal. Mon esprit vogue ailleurs. Dans mon propre monde, dont j'ai tant de mal à m'éloigner. Dans mon histoire, cette histoire sans laquelle il m'est impossible de vivre, même si je veux vivre sans elle. C'est toujours pareil : quand je papote en terrasse, quand je noue de nouveaux contacts, quand je renoue avec de vieilles connaissances, quand je drague… Je bute toujours sur la même personne : moi, moi et encore moi.

Il y a Rob, bien sûr, de plus en plus. Et Jur, qui me coupe chaque fois de mes émotions quand je rencontre un homme bien. Je mets des chaussures à talons, des faux cils, et je sors. Je cherche de l'attention, de la chaleur et un peu de confiance en moi.

Et j'en trouve, surtout de la confiance en moi, mais c'est comme si je n'étais pas là. Je suis dans mon livre. Il va changer ma vie sur plusieurs fronts, je le sais. Grâce à lui, j'existe concrètement. C'est aussi un point final à une période de mon existence, une manière d'approfondir les choses, mais aussi et surtout, c'est ma création. Mon cancer est parti, mon livre est terminé. Tant mieux, car je suis fatiguée de parler de moi.

Alors, voilà ! Fin de l'histoire ! Mais plus cette fin approche et se concrétise dans mon bouquin et dans le regard des gens qui m'entourent, plus je suis envahie par la peur… la peur de mourir… Les élancements sont toujours là. Les sueurs soudaines reviennent. Et j'ai de nouveau le souffle court…

J'ai peur.

Est-ce vraiment fini ?

Mardi 20 juin 2006

— Sophie, que faisiez-vous exactement quand vous avez perdu connaissance ?

J'ouvre prudemment les yeux. Le docteur L est penché sur moi, l'air soucieux. Il attend patiemment ma réponse et espère qu'elle pourra l'éclairer. Cinq autres paires d'yeux me fixent avec la même intensité, la même concentration.

Mes yeux vont d'une silhouette à l'autre. Il y a Jur. Cette fois, il est en blouse blanche, il a même un badge. Il y a les infirmiers, Pauke et Bastiaan. Le médecin de salle. Et le docteur K, qui a l'air un peu mal à l'aise.

Le docteur L répète sa question.

Je ferme les yeux. Tout me revient lentement. Cet après-midi, ce soir, cette nuit. Toute la journée. Oui, je me souviens. Que dire ? Comme c'est gênant ! Ils sont terribles, ces médecins, à toujours tout vouloir savoir de vous !

— Je jouissais, dis-je, comme si c'était la réponse la plus naturelle qui soit.

Silence. Raclements de gorges. Gêne de mon côté, mais aussi dans le corps médical. Le docteur L, surtout, semble ne pas savoir ce qu'il doit faire de l'information que je viens de lui donner. En revanche, Jur et Bastiaan partent d'un rire tonitruant.

— Hum ! Ce… cela nous arrive à tous ! finit par dire le docteur L en bégayant.

— Tu étais seule ou il y avait quelqu'un avec toi ? demande Jur, qui commence à comprendre.

Ma gêne est encore plus forte.

Le docteur K sort de la pièce à grands pas pour retourner dans le confort de son service de pneumologie.

Je ferme les yeux et je m'enfonce le visage dans ma perruque pour me mettre à l'abri de tous ces regards. J'ai honte, mais je me rends compte que je tire aussi un certain plaisir de la situation.

Je viens de recevoir une seconde chance. Je suis impatiente de commencer ma nouvelle vie !

Tout est vrai. Tous les mots que j'ai écrits, toutes les larmes que j'ai versées, toutes les souffrances que j'ai écartées, tout.

Toutes les infirmières, toutes les intraveineuses, le docteur L, les visites aux urgences, les transfusions sanguines, les blouses blanches, le docteur K, les seaux de vomi, les médicaments, mon sein artificiel, les tee-shirts détrempés, les scanners, les analyses sanguines, le docteur N, les dossiers médicaux, les têtes chauves… et la mienne. Tout.

Lance, Jur, Oscar, Marco, Chantal et Aniek. Vous êtes tous vrais.

Toutes les cartes que j'ai trouvées dans ma boîte aux lettres, tous les coups de téléphone, toutes les visites, toutes les fleurs, tous les soins, tous les regards de compassion, d'impuissance, de tristesse. Tout cela aussi, c'est vrai.

Papa, maman, frangine. Si près de moi…

Toutes les tentatives de méditation, les magasins d'alimentation naturelle, les jus de tomate avec une rondelle de citron, le thé vert, les graines, la soupe miso, et même une touche de bouddhisme. C'est vrai aussi.

Toutes les perruques, tous les cheveux que je me suis arrachés sans douleur, mes derniers poils pubiens que j'ai d'abord laissés, dans une sorte de fierté, mais que j'ai fini par arracher eux aussi, mes cicatrices, les veines bousillées de mon bras droit, mon ami l'échalas, mon lit d'hôpital. C'est vrai de vrai.

Toute l'attention dont j'ai bénéficié, l'éditeur néerlandais, la presse, la télé, les interviews… C'est vrai.

Stella, Daisy, Sue, Blondie, Platine, Emma, Pam, Lydia et Bébé. C'est vrai.

Otto et Bébé. C'est vrai.

L'amour que j'ai reçu, tous ces délicieux câlins qu'on m'a donnés, tous ces mots gentils qu'on m'a dits, toute cette gentillesse, tous ces beaux cadeaux, tous ces sourires, tous ces regards chaleureux, l'ange sur mon épaule, toute ma famille, tous mes amis, toutes mes connaissances, toute cette reconnaissance… Ça aussi. C'est vrai.

« Ithaque t'a donné le beau voyage :
sans elle, tu ne te serais pas mis en route.
Elle n'a plus rien d'autre à te donner. »

Constantin CAVAFY

Merci, Jan, d'avoir éveillé l'écrivain en moi. Merci, Esther, d'avoir fait travailler l'écrivain en moi. Merci, Jaap, pour ton soutien littéraire. Merci, Hans, pour tes conseils cruciaux. Merci, Walter, d'être plus qu'un voisin pour moi. Merci, Jurriaan, d'exister. Merci, docteur L, de m'avoir maintenue en vie. Merci, docteur K, d'égayer Notre-Dame. Merci, docteur N, pour tous vos calculs. Merci, papa, maman et frangine, de vous être si bien occupés de moi. Et merci, vous tous, de m'avoir permis si gentiment de vous raconter mon histoire.

Composé par Nord Compo
à Villeneuve-d'Ascq (Nord)

Imprimé en Espagne par
Liberduplex
à Barcelone
en octobre 2010

POCKET – 12, avenue d'Italie – 75627 Paris cedex 13

N° d'impression : 20423
Dépôt légal : novembre 2010
S19871/01

Stella

Daisy

Sue

Blondie

Platine

Emma